MINI-GUIDE DES
DINOSAURES

Sue Nicholson

Sommaire

À la découverte des dinosaures 44

Guide des dinosaures 64

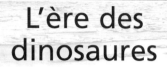

L'ère des
dinosaures

· · · · · · · · · · · · · · · · · · · ·

· · · · · · · · · · · · · · · · · · · ·

Meute de *Coelophysis* en chasse
au bord d'un lac d'Amérique du Nord
en voie d'assèchement, au Trias.

Quand vécurent les dinosaures ?

Les dinosaures régnèrent sur la Terre pendant 165 millions d'années : ils firent leur apparition voici 230 millions d'années et s'éteignirent il y a 65 millions d'années.

ÈRE PALÉOZOÏQUE
–540 à –250 M.A.

Les ères géologiques

Les scientifiques divisent l'histoire de la Terre en ères, elles-mêmes subdivisées en périodes. L'ère du Mésozoïque (–250 à –65 millions d'années) fut celle des dinosaures. On la divise en trois périodes : le Trias, le Jurassique et le Crétacé.

ÈRE MÉSOZOÏQUE
–250 à –65 M.A.

Les premiers dinosaures firent leur apparition voici 230 millions d'années.

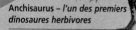

Anchisaurus – *l'un des premiers dinosaures herbivores*

ÈRE CÉNOZOÏQUE
–65 M.A. à nos jours

ÈRE PROTÉROZOÏQUE
−2,5 milliards
d'années à −540 M.A.

Dicksonia

Les formes de vie les plus élémentaires apparurent dans les océans voici 3,5 milliards d'années.

insecte

amphibiens

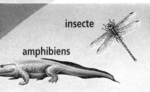

trilobite

Les premiers trilobites apparurent il y a 530 millions d'années. Insectes et amphibiens se développèrent il y a 400 millions d'années.

TRIAS

Procompsognathus

Cynognathus
(reptile mammalien)

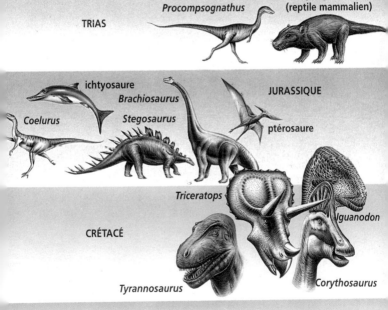

ichtyosaure

Brachiosaurus

Coelurus

Stegosaurus

JURASSIQUE

ptérosaure

Triceratops

Iguanodon

CRÉTACÉ

Tyrannosaurus

Corythosaurus

M.A. = million d'années

9

Le Trias

La période du Trias dura 45 millions d'années (de −250 à −205 millions d'années). Son nom vient du latin *trias* (trois), car les roches européennes datant de cette période peuvent être classées en trois époques.

Le paysage du Trias

Le climat terrestre était alors beaucoup plus sec qu'aujourd'hui. On y rencontrait des déserts chauds et secs, éloignés de toute mer. La plupart des plantes poussaient autour de lacs ou de mares qui se formaient après les précipitations mais finissaient par s'assécher. Ces plantes servaient de nourriture aux herbivores, qui étaient ensuite eux-mêmes dévorés par les carnivores.

La végétation

Parmi les grandes plantes de cette époque, on compte les ifs, les ginkgos. Les fougères, fougères arborescentes et prêles poussaient dans les endroits les plus humides. Les plantes à fleurs et les herbes, alors inexistantes, apparurent bien plus tard, au Crétacé.

Feuille de ginkgo

Le monde tel qu'il était voici 237 millions d'années

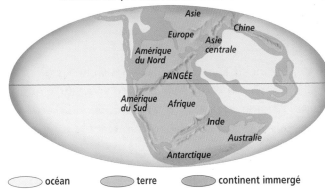

océan   terre   continent immergé

Le monde du Trias

Au Trias, la majorité des terres émergées formaient un seul et même super-continent, la Pangée. Dinosaures et autres animaux pouvaient ainsi se déplacer partout dans le monde. Comme il n'y avait pas de calotte glaciaire, le climat polaire était plus chaud qu'aujourd'hui.

Autres animaux du Trias

Les premiers dinosaures côtoyaient d'autres reptiles tels que lézards et crocodiles, ainsi que des amphibiens. Il y avait également des insectes ressemblant aux scarabées d'aujourd'hui, des reptiles mammaliens et des phytosaures.

Rutiodon
(phytosaure)

Kuehneosaurus
(lézard volant)

Lystrosaurus
(reptile mammalien)

Le Jurassique

Le Jurassique couvre une période de 65 millions d'années (de −205 à −140 millions d'années). Le nom de cette période provient des calcaires qui se formèrent à cette époque et, plus tard, constituèrent le relief du Jura.

Le paysage du Jurassique

Les déserts arides du Trias disparurent pour la plupart au Jurassique inférieur. Le climat se rafraîchit un peu, tout en restant plus chaud qu'aujourd'hui. Les précipitations se firent abondantes. Ce climat chaud et humide favorisa la prolifération de plantes de grande taille, comparables à celles des forêts tropicales humides actuelles. On trouvait notamment des fougères arborescentes, des conifères géants semblables aux pins et mélèzes ainsi que des ginkgos et des cycadées.

La végétation

Les cycadées poussaient en tous les points du globe. Ressemblant à des fougères ou des palmiers, elles étaient toutefois très proches des conifères par la similitude de leurs fruits.

cycadée

12

Le monde tel qu'il était voici 160 millions d'années

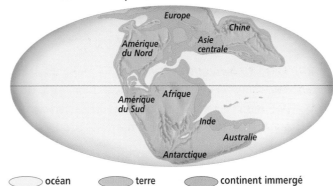

Europe

Chine

Amérique du Nord

Asie centrale

Amérique du Sud

Afrique

Inde

Australie

Antarctique

⬤ océan   ⬤ terre   ⬤ continent immergé

Le monde du Jurassique

À la fin du Jurassique, la Pangée avait commencé à se morceler en plusieurs continents. L'actuelle Amérique du Nord s'était alors écartée de l'Amérique du Sud – les deux continents étaient séparés par les eaux.

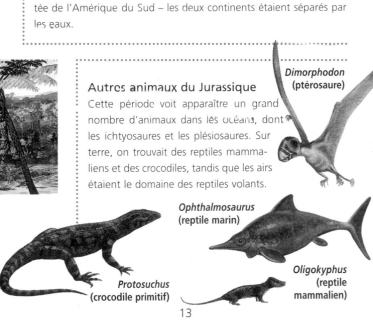

Autres animaux du Jurassique

Cette période voit apparaître un grand nombre d'animaux dans les océans, dont les ichtyosaures et les plésiosaures. Sur terre, on trouvait des reptiles mammaliens et des crocodiles, tandis que les airs étaient le domaine des reptiles volants.

Dimorphodon
(ptérosaure)

Ophthalmosaurus
(reptile marin)

Protosuchus
(crocodile primitif)

Oligokyphus
(reptile mammalien)

13

Le Crétacé

La période du Crétacé s'étend sur 75 millions d'années (de −140 à −65 millions d'années). Elle doit son nom, issu d'un mot latin signifiant « craie », aux dépôts crayeux qui se formèrent à cette époque sur les hauts fonds marins.

Le paysage du Crétacé

Les plantes à fleurs se développèrent lentement au cours du Crétacé avant d'occuper la place prépondérante qui était auparavant celle des fougères et des cycadées du Trias.

La végétation

À la fin du Crétacé, la végétation terrestre était très diversifiée. Il y avait déjà des noyers blanc d'Amérique, des chênes et des magnolias ainsi que maintes autres plantes à fleurs de plus petite taille.

14

Le monde il y a 80 millions d'années

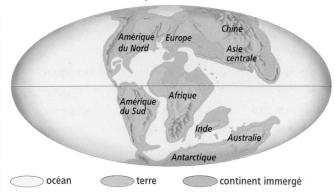

océan ⬭ terre ⬭ continent immergé

Le monde du Crétacé

Au Crétacé, les masses continentales continuèrent de se séparer. Vers la fin de la période, des mers peu profondes vinrent couvrir une importante partie de l'Europe et de l'Amérique du Nord.

Autres animaux du Crétacé

Le Crétacé fut marqué par l'apparition de nouvelles espèces animales, dont diverses familles de dinosaures. Les ptérosaures dominaient encore les airs. On vit aussi apparaître de nombreuses espèces de reptiles, dont des crocodiles, des lézards, des serpents et des tortues.

Pteranodon (ptérosaure)

Pachyrhachis (serpent primitif)

Deinosuchus (crocodile)

Qu'est-ce qu'un dinosaure ?

Le mot dinosaure signifie « lézard terrible ». Comme les lézards d'aujourd'hui, les dinosaures étaient des reptiles ; comme ces derniers, ils pondaient des œufs et leur corps était couvert d'écailles.

Les œufs des reptiles

Les œufs d'amphibiens sont enrobés d'une gelée et pondus dans l'eau. Les œufs de reptiles, plus durs, sont couverts d'une coquille (enveloppe minérale) qui protège l'embryon lors de son développement. Lorsqu'il sort de l'œuf, le jeune reptile ressemble à un adulte en miniature. La plupart des reptiles sont capables de se débrouiller seuls dès l'éclosion.

œuf de reptile   **œuf d'amphibien**

Un nouveau mode de locomotion

Les dinosaures ne se déplaçaient pas comme les reptiles. Ces derniers se meuvent comme les lézards actuels, en ondulant à chaque pas. Les pattes des dinosaures étaient situées sous le corps et non latéralement, ce qui leur permettait de supporter un poids supérieur, un atout qui favorisa l'évolution vers des animaux de plus en plus gros.

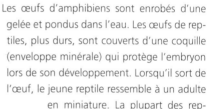

lézard

dinosaure

Les écailles

S'il est certain que les dinosaures portaient une peau à écailles, il est impossible de connaître sa couleur. À l'image des reptiles actuels, leur peau pouvait être de couleur vive, pour repousser les prédateurs, ou bien terne, pour favoriser le camouflage.

Nombre de lézards actuels arborent des dessins ou des couleurs qui servent à se camoufler ou à distinguer le sexe.

La classification des dinosaures

On répartit les dinosaures en deux groupes, ou ordres, en fonction de la structure de leur ceinture pelvienne. Chez les saurischiens (littéralement : « bassin de lézard »), le pubis diverge de l'ischion. Ce groupe comprend quelques herbivores et tous les carnivores. Chez les ornithischiens (« bassin d'oiseau ») en revanche, il est situé sous l'ischion. Ce groupe ne comprenait que des herbivores.

pubis

ischion

squelette d'*Iguanodon*, dinosaure ornithischien

ischion

pubis

squelette d'*Ornitholestes*, dinosaure saurischien

Les familles de dinosaures

Ce tableau montre comment les deux grands ordres de dinosaures (saurischiens et ornithischiens) se subdivisent en sous-groupes et familles.

DINOSAURIENS

SAURISCHIENS

THÉROPODES

SAUROPODOMORPHES

ORNITHISCHIENS

GÉNASAURIENS

THYRÉOPHORES

CÉRAPODES

Les encadrés du Guide des dinosaures (pages 66-109) ont été tramés de manière que leurs couleurs correspondent à celles utilisées dans ce tableau.

Les familles de dinosaures

Les deux grands ordres se divisent en sous-ordres. Les saurischiens, par exemple, comprennent les théropodes (sous-ordre Theropoda) et les sauropodes (sous-ordre Sauropoda). Ces sous-ordres sont eux-mêmes divisés en infra-ordres et familles. Certaines familles ne contiennent qu'une seule espèce connue. Dans ce cas, on donne le nom du genre (par exemple : *Compsognathus*) au lieu du nom de la famille (le nom terminé par –idé). D'autres familles comprennent plusieurs espèces. Les Hadrosauridés, par exemple, comprennent ainsi une dizaine de genres, dont *Pachycephalosaurus*, *Lambeosaurus* et *Edmontosaurus*

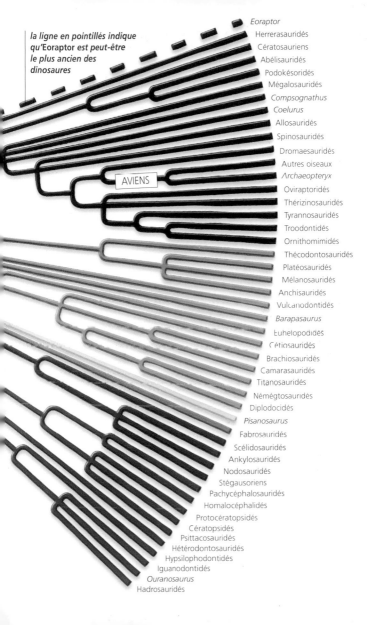

*la ligne en pointillés indique qu'*Eraptor *est peut-être le plus ancien des dinosaures*

Eoraptor
Herrerasauridés
Cératosauriens
Abélisauridés
Podokésoridés
Mégalosauridés
Compsognathus
Coelurus
Allosauridés
Spinosauridés
Dromaeosauridés
Autres oiseaux
Archaeopteryx
Oviraptoridés
Thérizinosauridés
Tyrannosauridés
Troodontidés
Ornithomimidés
Thécodontosauridés
Platéosauridés
Mélanosauridés
Anchisauridés
Vulcanodontidés
Barapasaurus
Euhelopodidés
Cétiosauridés
Brachiosauridés
Camarasauridés
Titanosauridés
Némégtosauridés
Diplodocidés
Pisanosaurus
Fabrosauridés
Scélidosauridés
Ankylosauridés
Nodosauridés
Stégausoriens
Pachycéphalosauridés
Homalocéphalidés
Protocératopsidés
Cératopsidés
Psittacosauridés
Hétérodontosauridés
Hypsilophodontidés
Iguanodontidés
Ouranosaurus
Hadrosauridés

AVIENS

Mode de vie
des dinosaures

Megalosaurus, un carnivore géant, guette un troupeau de *Compsognathus* dans une forêt du Jurassique, il y a 170 M.A.

Les bébés dinosaures

Certains dinosaures abandonnaient leurs œufs après la ponte. D'autres demeuraient à leurs côtés pour protéger leur progéniture avant et après l'éclosion.

1

2

Maiasaura pondant ses œufs.

3

La ponte

Maiasaura, un hadrosaure, pondait au même endroit année après année. Chaque mère construisait un monticule de terre (1) dans lequel elle creusait un cratère peu profond (2). Elle pondait une vingtaine d'œufs (3) qu'elle recouvrait ensuite de sable ou de végétaux (3) pour les tenir au chaud.

4

À l'éclosion, les jeunes Maiasaura mesuraient environ 35 cm de long.

Jeunes *Maiasaura* au sortir de l'œuf.

22

Aux côtés de leur mère

Certains jeunes dinosaures, capables de se débrouiller seuls, quittaient probablement le nid dès leur éclosion. Chez d'autres espèces, la mère devait s'occuper des petits et leur apporter à manger jusqu'à ce qu'ils soient de taille à vivre seuls.

Femelle de *Lambeosaurus* et ses petits.

Les œufs de dinosaures

Les œufs de dinosaures, comme ceux des oiseaux, contenaient l'embryon ainsi qu'une réserve de nourriture (le jaune de l'œuf). L'embryon était protégé d'une fine membrane ainsi que d'une coquille. Le dinosaure grandissait dans son œuf jusqu'à ce qu'il ait atteint une maturité suffisante pour vivre à l'air libre.

Œuf d'hadrosaure, de 18 à 20 cm de long.

Œuf de poule, 6 cm de long.

L'éclosion

Il se peut que les jeunes portaient sur le nez une petite corne pour briser la coquille. Cette « corne » (rappelant l'excroissance du bec des poussins) devait tomber au bout de quelques jours.

La vie de famille

En 1978, on découvrit dans le Montana un ensemble de nids de *Maiasaura* contenant un adulte, plusieurs jeunes, des dinosaures juste éclos et des œufs. Les scientifiques purent en conclure que certains dinosaures étaient des animaux sociaux qui vivaient en famille.

Les jeunes *Maiasaura*

Les jeunes *Maiasaura* devaient rester au nid quelques mois. Leur mère les entraînait probablement de plus en plus loin en quête de nourriture à mesure qu'ils grandissaient.

Voleurs d'œufs

Les œufs et les jeunes dinosaures, sans défense, étaient toujours à la merci d'un prédateur en quête d'un repas facile. Les adultes devaient donc protéger leurs sites de nidification contre les carnivores véloces tels que *Troodon* ou *Velociraptor*.

***Troodon* volant un œuf dans un nid d'*Edmontosaurus*.**

En sécurité

Certains jeunes restaient plusieurs années aux côtés de leur mère, jusqu'à la fin de leur croissance. D'autres grandissaient dans des troupeaux de plusieurs centaines d'individus, jouissant ainsi d'une certaine protection contre les prédateurs.

Mère *Camarasaurus* et son petit.

Des mères modernes

L'étude des animaux actuels aide les scientifiques à définir le mode de vie des dinosaures. Si la plupart des reptiles laissent leurs nouveau-nés se débrouiller seuls, les crocodiles, eux, montent la garde près des nids et aident les jeunes à sortir de l'œuf.

Crocodile femelle portant ses petits dans sa gueule.

La vie en troupeau

Tout comme pour les animaux actuels, la vie en groupe présentait une sécurité accrue pour les dinosaures, qui pouvaient donner l'alerte lors de l'apparition d'un prédateur ou de tout autre danger.

Se déplacer en sûreté

Certains dinosaures, tels *Apatosaurus* et *Iguanodon*, parcouraient des centaines de kilomètres en quête de nourriture. Lors de leurs migrations, les jeunes se tenaient au centre du troupeau pour bénéficier de la protection des adultes.

les adultes, plus expérimentés, protégeaient les jeunes, plus vulnérables

Troupeau de dinosaures en cours de migration.

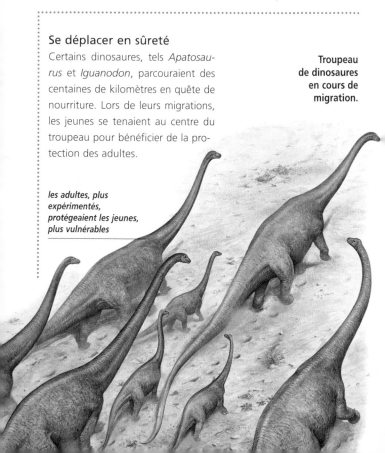

À l'assaut d'un troupeau

Il est possible que certains carnivores aient suivi de grands troupeaux, attendant qu'un animal affaibli se trouve isolé derrière le groupe. Un gros herbivore suffisait ainsi à nourrir un carnivore pendant plusieurs jours, de sorte que le troupeau était relativement tranquille jusqu'à ce que ce prédateur se remette en chasse.

Albertosaurus essayant d'attaquer un troupeau de _Triceratops_.

l'assaillant risque de se blesser sur les cornes de ses proies

les _Triceratops_ forment un cercle pour se défendre.

les grands mâles pointent leurs défenses vers l'extérieur.

La sécurité par le nombre

Lorsqu'ils étaient attaqués, certains herbivores devaient former un cercle autour des jeunes et des membres du troupeau les plus vulnérables. Ainsi rassemblés, des herbivores comme _Triceratops_ se retranchaient derrière un mur de défenses susceptible de décourager l'agresseur carnivore, qui partait alors en quête d'une proie plus facile.

La hiérarchie

Au début de la saison des amours, il est possible que certains mâles, à l'instar des béliers ou des cerfs aujourd'hui, se soient battus pour décider de celui d'entre eux qui allait mener le troupeau.

Les calottes crâniennes

Certains dinosaures, tel *Stegoceras*, étaient dotés d'une calotte crânienne particulièrement épaisse. Celle des mâles, plus développée que celle des femelles, grossissait avec l'âge. Certains de ces dinosaures portaient également des collerettes ou des excroissances osseuses le long du dos, sur les côtés de la tête ou bien encore sur le museau.

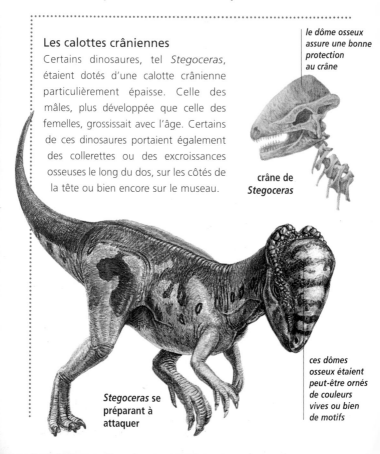

le dôme osseux assure une bonne protection au crâne

crâne de **Stegoceras**

Stegoceras se préparant à attaquer

ces dômes osseux étaient peut-être ornés de couleurs vives ou bien de motifs

Tête à tête

Les mâles chargeaient tête baissée en se servant de leur queue tendue à l'horizontale comme d'un balancier. Les assauts devaient se répéter jusqu'à ce que l'animal le plus faible s'enfuie.

*le crâne fait fonction
d'un casque intégré
à la tête de l'animal*

Deux mâles *Pachycephalosaurus* en pleine charge frontale.

Ne pas s'approcher !

De nombreux dinosaures à cornes portaient aussi des collerettes osseuses implantées à l'arrière du crâne. La taille de leurs cornes et de ces collerettes, qui leur assurait une certaine protection contre les attaques des carnivores, constituait peut-être aussi un atout pour s'assurer la domination du troupeau.

*grande collerette
pour décourager
les autres mâles.*

*les mâles croisent
leurs cornes
puis luttent
en essayant
de mettre
le rival à terre.*

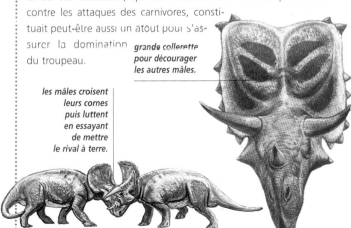

Lutte entre deux mâles de *Triceratops*.

mâle de *Chasmosaurus*

Crêtes
et cris

**Les hadrosaures, ou «dinosaures à bec de canard»,
vivaient en énormes troupeaux. De nombreuses espèces
portaient aussi des crêtes, qui leur servaient peut-être
à mieux faire résonner leurs cris et leurs appels.**

Des crêtes dissemblables

Des troupeaux d'hadrosaures d'espèces différentes paissaient côte à
côte. Pour pouvoir se reconnaître entre elles, chaque espèce possédait une crête et un cri particuliers. Il est probable que la crête des
mâles était d'une taille supérieure à celle des femelles.

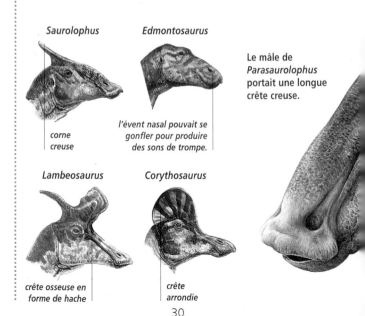

Saurolophus

Edmontosaurus

Le mâle de
Parasaurolophus
portait une longue
crête creuse.

corne
creuse

*l'évent nasal pouvait se
gonfler pour produire
des sons de trompe.*

Lambeosaurus

Corythosaurus

crête osseuse en
forme de hache

crête
arrondie

Les hadrosaures

Le groupe des hadrosaures était le plus répandu et le plus diversifié. À la fin du Crétacé supérieur, ils s'étaient répandus sur tout l'hémisphère nord. C'étaient de gros animaux : le plus grand d'entre eux, *Shantungosaurus*, mesurait quelque 13 mètres de long.

De gauche à droite : *Corythosaurus*, *Edmontosaurus* et *Shantungosaurus*.

Les cris

À l'approche d'un gros carnivore, *Parasaurolophus* émettait un puissant bruit de trompe qui se répercutait en écho dans la forêt pour prévenir les membres du troupeau de l'arrivée du danger et leur donner le temps de se sauver.

intérieur d'une crête

air

os

L'intérieur de la crête

Les tubes incurvés de l'intérieur de la crête partaient de l'os du nez; ils devaient servir à amplifier le son, un peu à la manière des tubes d'une trompette.

31

La recherche de la nourriture

Les dinosaures passaient une grande partie de leur temps à se nourrir. Les herbivores consommaient des végétaux tandis que les carnivores s'en prenaient aux herbivores et aux carnivores plus petits qu'eux-mêmes.

Le partage de la nourriture

Les herbivores étaient bien plus nombreux que les carnivores. Leurs différences de taille leur permettaient de trouver leur nourriture aux divers étages de la végétation et donc de limiter la concurrence entre espèces.

ce sauropode (herbivore à long cou) lève la tête pour atteindre les pousses tendres de la cime de l'arbre

un hadrosaure se dresse sur ses pattes postérieures pour atteindre des feuilles en hauteur

ce Triceratops se nourrit des feuilles de cycadées, plus basses mais plus coriaces.

32

Des dents adaptées

La dentition des herbivores s'adapte aux types de plantes qui s'offrent à eux : on n'a pas besoin des mêmes dents selon que l'on s'attaque à des pousses tendres, à des cônes ou à des fougères.

ces dents, cylindriques, servaient à déchiqueter pousses tendres et feuilles sur les arbres

Camarasaurus (sauropode)

les molaires, plates, permettaient de broyer les cônes

Edmontosaurus (hadrosaure)

Triceratops (dinosaure à cornes)

bec et dents pointus pour déchiqueter les fougères

Les carnivores

Les grands carnivores chassaient ou dévoraient des charognes. Leurs mâchoires, larges et puissantes, étaient munies de crocs acérés, recourbés vers l'arrière et dentelés comme une lame de scie pour mieux trancher la viande et les os.

Allosaurus (carnivore)

crocs pointus et dentelés pour percer et déchirer la chair

Les herbivores

Les végétaux sont plus difficiles à digérer que la viande, de sorte que les herbivores doivent avoir de plus gros estomac et intestins que les carnivores, ce qui implique qu'ils aient aussi un corps plus volumineux.

Les plus gros herbivores

Les plus gros herbivores (qui furent aussi les plus gros animaux terrestres de tous les temps) étaient les sauropodes. Un sauropode adulte devait consommer plus de deux quintaux d'aliments par jour pour réussir à nourrir son colossal organisme.

Cetiosaurus se nourrissant de branches hautes

Modes alimentaires

Les herbivores tels les iguanodons et les stégosaures broutaient à quatre pattes, mais se dressaient sur leurs pattes postérieures pour accéder aux branches élevées.

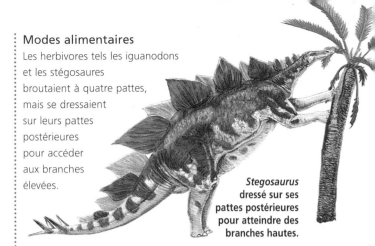

Stegosaurus dressé sur ses pattes postérieures pour atteindre des branches hautes.

Les gastrolithes aidaient l'estomac des dinosaures à broyer les végétaux.

Les gastrolithes

Pour digérer plus facilement les végétaux, les sauropodes avalaient parfois des pierres. Ces gastrolithes (« pierres d'estomac ») les aidaient à broyer leur nourriture pour la rendre plus facilement assimilable.

Les brachiosaures

Les brachiosaures furent parmi les plus gros des sauropodes. *Brachiosaurus* pesait jusqu'à 80 tonnes. *Camarasaurus*, plus petit, présentait un cou et une queue plus courts.

***Brachiosaurus* (à droite) et *Camarasaurus*, deux sauropodes du Jurassique supérieur.**

Les prédateurs

Certains dinosaures carnivores chassaient seuls en guettant leurs proies. Mais nombreux étaient aussi les charognards, qui se contentaient des carcasses d'animaux déjà morts.

Tyrannosaurus

Les tyrannosaures, qui vécurent au Crétacé, se nourrissaient essentiellement d'hadrosaures tels qu'*Edmontosaurus*. Certains scientifiques pensent que les tyrannosaures et les autres gros carnivores, trop lourds pour attraper leurs proies, devaient se contenter de charognes. D'autres pensent que les tyrannosaures étaient au contraire des chasseurs très vifs. Il se peut qu'ils se soient nourris aussi bien de charognes que de proies vivantes.

Tyrannosaurus attaquant un troupeau d'hadrosaures.

Un chasseur véloce

Le gabarit d'*Ornitholestes* en faisait un prédateur rapide, capable de s'en prendre à des animaux tels que lézards, grenouilles ou insectes volants.

mains élancées et griffues pour mieux saisir sa proie

36

Plus gros, plus féroce

Pendant longtemps on a cru que le tyrannosaure était le plus gros des dinosaures carnivores, mais les scientifiques ont découvert les restes de deux carnivores encore plus énormes : *Giganotosaurus* et *Carcharodontosaurus*.

Carcharodontosaurus *mesurait 14 mètres de long pour un poids de 8 tonnes*

Carcharodontosaurus

De vrais couteaux

Tyrannosaurus avait une gueule immense. Mues par des muscles très puissants, ses mâchoires s'écartaient de près d'un mètre ; elles étaient armées d'une soixantaine de dents acérées comme des rasoirs et longues comme des lames de couteaux.

chacune de ces dents pointues mesurait environ 15 cm

Lorsque *Ornitholestes* courait, sa queue lui servait sans doute de balancier.

La chasse en meute

Comme il n'était pas facile de venir à bout d'un énorme herbivore, les petits carnivores chassaient en meute afin de pouvoir s'en prendre à des proies d'une taille bien supérieure à la leur.

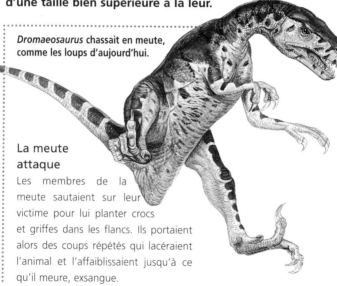

Dromaeosaurus chassait en meute, comme les loups d'aujourd'hui.

La meute attaque

Les membres de la meute sautaient sur leur victime pour lui planter crocs et griffes dans les flancs. Ils portaient alors des coups répétés qui lacéraient l'animal et l'affaiblissaient jusqu'à ce qu'il meure, exsangue.

l'orteil ne touche pas le sol

Dromaeosaurus sautait sur le dos de sa proie ou lui donnait des coups de patte

Une griffe redoutable

La griffe crochue du second orteil de *Dromaeosaurus* constituait une arme mortelle. Lorsqu'il sautait sur sa proie, elle pivotait pour lacérer la victime. Il est possible que les droméosaures et autres chasseurs aient entretenu leurs griffes en les aiguisant contre des arbres, comme le font les chats aujourd'hui.

griffe orientable

Patte de *Dromaeosaurus*

Deinonychus était pourvu d'une grosse tête armée de puissantes mâchoires.

Un chasseur intelligent

Avec ses 3 à 4 mètres de long et ses 2 mètres de haut, *Deinonychus* était deux fois plus gros que *Dromaeosaurus*. Disposant d'un cerveau volumineux, il était l'un des dinosaures les plus intelligents de son époque. Il disposait aussi d'une bonne acuité visuelle et auditive, deux atouts essentiels pour un chasseur.

Un tueur rapide

Dromaeosaurus devait être capable d'atteindre une vitesse de 60 km/h. Pour courir, il évitait de mettre son énorme griffe en contact avec le sol.

39

Cuirasses défensives

Certains herbivores de la fin du Crétacé se protégeaient des redoutables prédateurs de l'époque par de véritables armures faites de cornes, de piques et de boucliers.

longue corne pointue

Une grosse corne

Centrosaurus identifiait les membres de son troupeau grâce à la forme et à la taille de leur collerette osseuse ainsi que par le nombre de leurs cornes. Les tricératops sont les plus connus des dinosaures à cornes ou cératopsiens.

collerette au pourtour dentelé, porteuse de deux petites cornes recourbées

Centrosaurus

Une grosse tête

corne centrale effilée comme une sagaie

Un gros dinosaure cornu atteignait une taille comparable à celle d'un rhinocéros. Il lui fallait un corps et des pattes puissants pour porter le poids de ses cornes et de sa collerette. Il se peut que ses organes de défense aient été ornés de motifs tels que des rayures.

Styracosaurus

collerette pourvue de corne acérées

Des dinosaures « cuirassés »

Les stégosaures étaient recouverts d'une épaisse cuirasse. Les plaques pointues qu'ils portaient sur le dos servaient autant à les protéger qu'à les rafraîchir en favorisant les échanges thermiques. Certains stégosaures étaient aussi dotés de pointes sur la queue.

Stegosaurus repoussant un prédateur

Sauropelta

Des pointes sur les épaules

Le dos des dinosaures « cuirassés » était couvert de plaques osseuses. Certains possédaient même des pointes qui saillaient depuis les épaules ou les flancs. En cas d'attaque, ils se couchaient pour protéger leur ventre, plus mou, et l'assaillant ne trouvait que des os à mordre.

pointes pouvant effrayer ou blesser un agresseur

Des arguments « massue »

Certains dinosaures « cuirassés » étaient aussi armés d'une queue terminée par une boule osseuse. Balancée latéralement, cette massue pouvait briser les pattes d'un adversaire.

plaques et pointes osseuses

queue brandie comme une massue

Euoplocephalus

Courir

Certains dinosaures ne disposaient ni de cornes ni d'armure pour se défendre. Aussi devaient-ils être capables de courir rapidement pour échapper aux prédateurs ou bien attraper de petites proies.

Bâtis comme des autruches

Gallimimus, *Struthiomimus* et *Ornithomimus* sont trois représentants du groupe des ornithomimidés. Avec leur bec étroit et leurs longues pattes postérieures, ils ressemblaient aux autruches actuelles. Dotés de grands yeux et d'un gros cerveau, ils devaient faire de bons chasseurs mais, outre des proies telles qu'insectes et petits animaux, leur nourriture comprenait aussi des fruits et des baies.

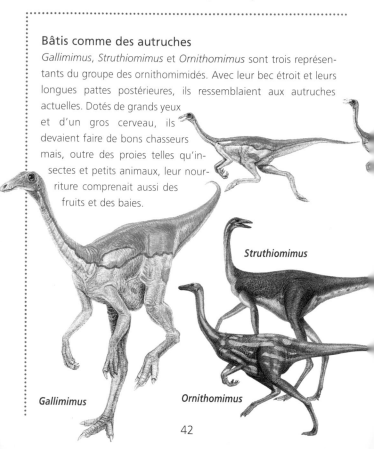

Struthiomimus

Gallimimus

Ornithomimus

42

Des chasseurs rapides

Les ornithomimidés ont sans douté été les plus véloces des dinosaures. Mais d'autres théropodes étaient aussi d'excellents coureurs. Certains scientifiques estiment que les gros tyrannosaures et allosaures pouvaient atteindre les 40 km/h sur de courtes distances.

Deux *Gasosaurus* se ruent à l'attaque d'un *Huayangosaurus*

***Gallimimus* se servait de sa queue comme balancier pour courir.**

De grandes pattes

Les pattes postérieures des ornithomimidés étaient pourvues de muscles puissants et d'os longs, tandis que les os de leurs chevilles étaient légers et minces, deux caractéristiques favorisant une course rapide. Avec une taille de quelque 4 mètres (soit le double de celle d'une autruche), *Gallimimus* devait être capable de pointes à 65 km/h.

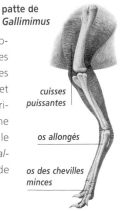

patte de
Gallimimus

*cuisses
puissantes*

os allongés

*os des chevilles
minces*

43

À la découverte des dinosaures

Crétacé inférieur (– 100 M.A.) : divers herbivores paissent auprès d'un cours d'eau. Au-dessus d'eux, des reptiles volants sillonnent les airs.

À la recherche des preuves

Les derniers dinosaures ont disparu il y a 65 millions d'années, bien longtemps avant que les hommes ne puissent les voir et les étudier. Nous ne connaissons d'eux que les traces qu'ils ont laissées.

Les fossiles

On connaît surtout les dinosaures à travers leurs os fossilisés. Il est très rare de trouver un squelette complet : souvent, certains os ont disparu ou bien le squelette est à l'état de véritable puzzle. Il arrive également que les restes de plusieurs dinosaures soient mélangés sur un même site. Lorsque l'on retrouve par exemple les dents d'un carnivore au milieu des os d'un herbivore, c'est probablement qu'il les a perdues en dévorant une charogne.

Reconstruction d'un squelette de dinosaure à cornes.

os d'une patte d'*Iguanodon*

Les traces des muscles

Les os fossilisés portent fréquemment la trace des points d'attache des muscles. Les scientifiques confrontent ces os à ceux d'animaux contemporains pour reconstituer la forme du dinosaure.

46

Les dinosaures en vie

Les dinosaures étaient des êtres vivants, qui respiraient, devaient trouver de la nourriture, se protéger du danger et élever leurs petits – tout comme les animaux d'aujourd'hui. Ils devaient donc avoir des traits communs avec les reptiles ou les mammifères actuels et partager certains de leurs comportements. Il est ainsi probable que le mode de vie des gros herbivores, au cou très allongé, ressemblait quelque peu à celui des girafes.

À l'instar des girafes, *Brachiosaurus* se servait de la taille de son cou pour se repaître des feuilles sommitales.

par leur structure, la tête et le cou de Brachiosaurus étaient très comparables à ceux d'une girafe

cou allongé

épaules larges et puissantes

De l'os
à la pierre

Une fois morts, la plupart des animaux ne laissent derrière eux aucune trace de leur existence. Il arrive cependant que, dans certaines conditions, le corps d'un animal se transforme en fossile. Or, les fossiles sont les seuls moyens que nous ayons de connaître les dinosaures.

La formation d'un fossile

Le cadavre d'un dinosaure est dévoré par les charognards au bord d'un lac. Au fil du temps, son squelette s'enfonce dans la boue et les minéraux transforment lentement la gangue de boue qui l'entoure en roche dure, tout en remplaçant les minéraux des os du squelette, qu'ils transforment eux aussi en pierre.

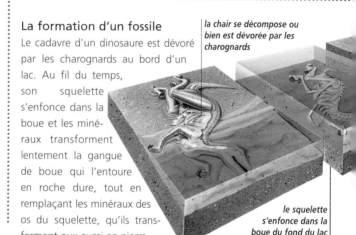

la chair se décompose ou bien est dévorée par les charognards

le squelette s'enfonce dans la boue du fond du lac

Sur ce fossile, on distingue les nodules de la peau très épaisse d'un dinosaure.

Empreintes de peau

La chair des dinosaures était mangée par les charognards ou se décomposait sur place. Il arrive cependant que l'on retrouve des impressions fossilisées de peau de dinosaure.

48

Des dents fossilisées

Les dents des dinosaures en disent long sur leur propriétaire. Grâce à leur couche d'émail, elles se fossilisent facilement. Les dents des carnivores sont longues et pointues pour cisailler la chair; celles des herbivores sont courtes et plates, pour broyer les végétaux.

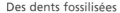

dent de carnivore fossilisée

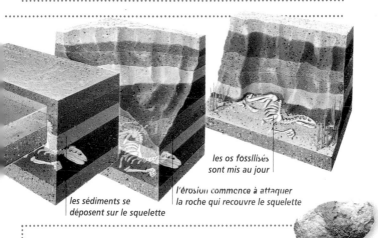

les os fossilisés sont mis au jour

les sédiments se déposent sur le squelette

l'érosion commence à attaquer la roche qui recouvre le squelette

Autres fossiles

Les paléontologues ont retrouvé de nombreux os de dinosaures fossilisés dont certains contenaient des squelettes d'embryons. Il leur arrive de retrouver des nids contenant encore des œufs ou des squelettes de jeunes, ou encore des excréments fossilisés, appelés coprolithes.

œufs fossilisés

Les excréments révèle parfois le régime des dinosaures.

Empreintes des dinosaures

Les empreintes de pas des dinosaures nous en disent long sur leur mode de vie. Elles permettent par exemple de savoir si l'animal marchait sur deux ou quatre pattes, à quelle vitesse il se déplaçait et s'il vivait seul ou en troupeau.

empreintes de dinosaures fossilisées

Formation des empreintes

Si un dinosaure marche dans la boue au bord d'un lac et que celle-ci sèche rapidement après son passage, elle va durcir et conserver l'empreinte de ses pas. Des millions d'années plus tard, l'érosion peut avoir ôté les couches de boue et de sable plus tendres accumulées dans l'intervalle, révélant ainsi ces traces de pas.

Camarasaurus se déplaçait lentement, contrairement à *Gallimimus*, qui était un bon coureur.

Camarasaurus

Empreintes révélatrices

Les chercheurs ne sont pas toujours à même de déterminer de quel animal une empreinte provient-elle, mais ils peuvent s'en faire une idée en comparant la taille et la forme des traces avec les pattes des dinosaures qui vivaient à l'époque dans cette même région. On peut connaître l'âge d'une empreinte en déterminant l'époque à laquelle s'est formée la roche qui l'a conservée.

Paléontologue examinant des empreintes

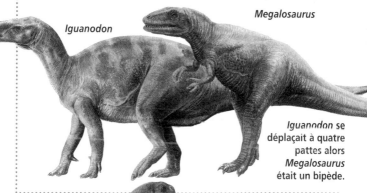

Megalosaurus

Iguanodon

Iguanodon se déplaçait à quatre pattes alors *Megalosaurus* était un bipède.

Les dinosaures couraient-ils vite ?

En se basant sur la distance séparant deux empreintes et sur la taille des pattes d'un dinosaure, les scientifiques sont capables de déterminer à quelle vitesse l'animal se déplaçait : plus les empreintes sont espacées et plus l'animal courait vite.

Gallimimus

Premiers chasseurs de dinosaures

C'est le scientifique français Georges Cuvier qui, il y a 200 ans, comprit le premier que l'étrangeté de certains fossiles signifiait qu'ils étaient ceux d'animaux ayant disparu de la surface de la Terre.

Squelette d'*Iguanodon* tel que l'imaginait Mantell

« Dent d'iguane »

En 1820, un médecin britannique du nom de Gideon Mantell découvrit des dents fossiles dont il pensa qu'elles appartenaient à un très ancien parent de l'iguane, qu'il baptisa *Iguanodon*, ce qui signifie « dent d'iguane ».

Dès 1854 on construisit des statues de dinosaures fidèles aux hypothèses émises par Owen. On les voit encore exposées dans le parc londonien de Crystal Palace.

Les dinosauriens

En 1842, le paléontologue britannique Richard Owen comprit que les restes d'*Iguanodon* et autres gros reptiles appartenaient à un groupe d'animaux à part, qu'il nomma « dinosauriens », c'est-à-dire « lézards terribles ». Dans le monde entier, des scientifiques intensifient les recherches de restes de dinosaures.

La guerre des os

Les États-Unis furent le théâtre d'une véritable guerre que se livrèrent deux chasseurs de dinosaures : Edward Drinker Cope (scientifique et collectionneur de fossiles) et Othniel Charles Marsh (professeur de paléontologie à l'université de Yale). Cope et Marsh, qui se détestaient, allèrent jusqu'à embaucher des hommes de main armés pour voler leurs découvertes respectives.

Ci-dessus : Cope découvrit *Camarasaurus* et *Coelophysis*. À gauche : Marsh (debout au centre) découvrit *Stegosaurus* et *Allosaurus*.

Barnum Brown

Au début du xxᵉ siècle, Barnum Brown, du Muséum d'histoire naturelle de New York, découvrit au Canada de nombreux fossiles d'hadrosaures. Ses découvertes incitèrent le Muséum à financer des expéditions dans le désert de Gobi, en Asie centrale, où de nombreux autres spécimens furent mis au jour.

Barnum Brown (à droite) lors de son expédition de 1911 sur la Red Deer River au Canada

Sur le terrain

Il arrive de découvrir des fossiles par hasard, mais la chasse aux dinosaures est le plus souvent l'affaire d'équipes de scientifiques qui connaissent les terrains favorables.

À la recherche des fossiles

Depuis l'époque de Cope et de Marsh, on recherche des fossiles dans le monde entier. Les expéditions sont longues et coûteuses ; certains voyages demandent des années de préparation. Les paléontologues se dirigent vers des sites où les fossiles abondent.

Paléontologues dégageant un crâne de tyrannosaure.

L'excavation d'un squelette

Lorsque l'on a découvert un squelette, le plus urgent est de le mettre à l'abri. Après des millions d'années passées sous terre, les os sont généralement fragiles et fissurés. On commence par retirer délicatement la roche qui les recouvre avant de dégager les cailloux qui les entourent. Chaque fragment de fossile ainsi retiré est ensuite protégé dans des bandes imprégnées de plâtre.

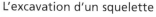

Pour dégager un squelette de la roche, il faut toute une équipe armée d'outils tels que marteau pneumatique, pioches et pinceaux.

54

L'archivage des os

Avant d'être retirés du sol, les os sont mesurés et photographiés. Les données ainsi obtenues permettent de reconstituer la manière dont ces os étaient assemblés et parfois même de savoir comment l'animal est mort.

Relevé de la position des os.

les détritus de roche ou d'argile sont retirés à la main ou à l'aide de pinceaux

plan du site où est reportée la position de chacun des os

Reconstitution d'un dinosaure

Avant de pouvoir étudier les fossiles et, peut-être, de reconstituer l'animal à qui ils appartenaient, il faut d'abord les nettoyer et les protéger. Ce travail de laboratoire est l'œuvre d'experts. Il faut parfois des années pour préparer un seul squelette.

Préparateur dégageant l'os de la roche.

Le nettoyage des os

Les préparateurs utilisent un ciseau ou un couteau pour retirer les roches tendres et une sorte de roulette électrique pour les roches plus dures. Les os sont généralement brun foncé, si bien qu'il n'est pas toujours facile de les distinguer de la roche qui les entoure.

La reconstruction d'un squelette

Lorsqu'ils ont affaire à un os rare ou en bon état, les scientifiques en réalisent parfois un moulage en plâtre ou en fibre de verre, moulage qui sera par la suite exposé dans un musée ou bien échangé contre un autre fossile venant d'un autre musée. Si le squelette est incomplet, les chercheurs reconstituent les os manquants en se basant sur les squelettes d'autres dinosaures du même type.

56

Squelettes d'*Albertosaurus* et *Centrosaurus* exposés dans un musée devant une peinture où l'on s'est efforcé de recréer le paysage dans lequel ils évoluaient, au Crétacé.

Le puzzle

Pour réussir à reconstituer un squelette entier, les paléontologues étudient chaque os avec une extrême minutie. Ils font ensuite des dessins destinés à montrer comment les muscles faisaient bouger les os en se fondant sur ce que l'on sait d'animaux comparables vivant aujourd'hui. Une fois qu'ils ont une bonne idée de la taille et de l'anatomie de l'animal, ils s'efforcent d'imaginer à quoi pouvait ressembler sa peau. Il leur faut aussi décider si le dinosaure possédait des griffes, des plumes ou des lèvres car toutes ces parties du corps ne se fossilisent pas. Il faut aussi essayer d'imaginer la couleur de l'animal.

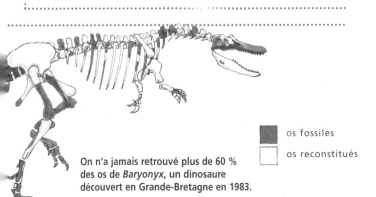

os fossiles

os reconstitués

On n'a jamais retrouvé plus de 60 % des os de *Baryonyx*, un dinosaure découvert en Grande-Bretagne en 1983.

57

Les mystères

Si nous en savons beaucoup sur les dinosaures, il reste beaucoup de zones d'ombre. La découverte régulière de nouvelles espèces amène les paléontologues à reconsidérer certaines des connaissances antérieures.

Un amateur de poisson?

En 1983 ont été découverts en Angleterre, dans le Sussex, les restes d'un dinosaure peu commun nommé *Baryonyx*. Le squelette en était incomplet, mais son crâne portait un long museau pointu ainsi que des dents tournées vers l'extérieur. Il possédait aussi une énorme griffe de 30 cm de long. Certains scientifiques pensent que la morphologie de *Baryonyx* était bien adaptée pour la pêche.

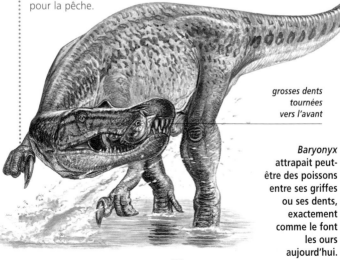

grosses dents tournées vers l'avant

Baryonyx attrapait peut-être des poissons entre ses griffes ou ses dents, exactement comme le font les ours aujourd'hui.

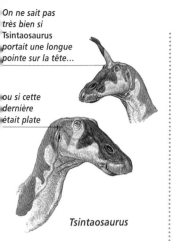

On ne sait pas très bien si Tsintaosaurus portait une longue pointe sur la tête...

ou si cette dernière était plate

Tsintaosaurus

Avec ou sans corne ?

Certains experts pensent que *Tsintaosaurus*, un hadrosaure, portait une corne sur sa tête tandis que d'autres estiment qu'il ne s'agit que d'un os déplacé lors de la fossilisation de l'animal et que sa tête, donc, était plate.

Les alvarezsaures

Les experts divergent en ce qui concerne la famille des alvarezsaures : certains soutiennent qu'il s'agit d'oiseaux primitifs car leur squelette ressemble beaucoup à celui des oiseaux ; d'autres considèrent qu'il s'agissait de dinosaures carnivores, mais personne ne sait comment ils se servaient de leurs étranges bras très courts et munis d'une seule griffe.

Les bras de *Mononykus* étaient courts et trapus.

Les lézards d'aujourd'hui ont le sang froid, mais était-ce aussi le cas des dinosaures ?

Sang froid ou chaud ?

Les dinosaures étaient-ils des animaux à sang froid ou chaud ? Les scientifiques ne peuvent encore se prononcer. Les animaux à sang chaud sont capables d'assurer une régulation de leur température corporelle, tandis que les animaux à sang froid ont besoin de soleil pour se réchauffer.

L'extinction des dinosaures

Les dinosaures disparurent à la fin du Crétacé, voici 65 millions d'années. La distance qui nous sépare de cet événement est telle que l'on ne saurait dire avec certitude si cette extinction s'étala sur des milliers d'années ou se produisit en un seul siècle.

Que s'est-il passé ?

Selon certains paléontologues, les dinosaures auraient diminué en nombre et en espèces sur plusieurs millions d'années avant de finir par s'éteindre. Une gigantesque météorite s'est écrasée sur Terre à cette époque, modifiant le climat de la planète et entraînant de nombreuses espèces dans une extinction massive.

Après l'impact de la météorite, les plantes seraient mortes de l'absence de lumière, entraînant la disparition des herbivores puis des carnivores.

Un climat bouleversé

L'énorme nuage de roches et de poussières soulevé dans l'atmosphère par l'impact d'une météorite d'une telle taille aurait occulté la lumière du soleil et fortement refroidi le climat terrestre.

Où est-elle tombée ?

Non loin des côtes mexicaines se trouve un cratère immense qui pourrait être celui laissé par la chute d'une météorite à la fin du Crétacé. En plus de nuages de poussière, un tel impact aurait déclenché des raz de marée et des tremblements de terre.

lieu d'impact possible

Yucatán

MEXIQUE

La météorite est peut-être tombée dans la province mexicaine du Yucatán.

La taille du cratère

Le diamètre du cratère creusé par cette météorite est d'environ 100 km, pour une profondeur de 12 km. La zone teintée en bleu sombre en bas de cette image est la trace d'une saignée creusée par l'approche de la météorite.

Image de synthèse du cratère

Les survivants

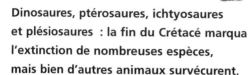

**Dinosaures, ptérosaures, ichtyosaures
et plésiosaures : la fin du Crétacé marqua
l'extinction de nombreuses espèces,
mais bien d'autres animaux survécurent.**

Qui sont les survivants ?

Tortues, mammifères, lézards, serpents, crocodiles, oiseaux et nombre
d'insectes ont survécu à la fin du Crétacé. La disparition des dinosaures créa un vaste vide écologique que les autres espèces vinrent
combler. Les mammifères grandirent et se diversifièrent jusqu'à deve-
nir les animaux supérieurs les plus répandus. Les dinosaures ne revien-
dront jamais, mais leurs descendants, les oiseaux, sont parmi nous.

PERMIEN −290 à −250 M.A.	TRIAS −250 à −205 M.A.	JURASSIQUE −205 à −140 M.A.	

contrarement à celui des oiseaux modernes, le bec d'Archaeopteryx portait des dents

Les parents des dinosaures

À l'instar des dinosaures, *Archaeopteryx* avait des dents, des griffes et une longue queue, mais ses ailes et sa queue étaient aussi couvertes de plumes. On a longtemps présenté *Archaeopteryx* comme la meilleure preuve que les oiseaux descendaient des dinosaures. La découverte en Chine, dans les années 1990, d'un autre fossile mi-oiseau, mi-dinosaure, a convaincu les scientifiques que les oiseaux sont bien les plus proches parents vivants des dinosaures.

Archaeopteryx **était capable de voler, mais devait probablement grimper aux arbres avant de s'élancer dans les airs.**

CRÉTACÉ 40 À –65 M.A.	CÉNOZOÏQUE –65 M.A. À AUJOURD'HUI
	TORTUES
	MAMMIFÈRES
ICHTYOSAURES	
PLÉSIOSAURES	LÉZARDS
	SERPENTS
	CROCODILES
PTÉROSAURES	
DINOSAURES ORNITHISCHIENS	
DINOSAURES SAURISCHIENS	
	OISEAUX

Guide
des dinosaures

Un tyrannosaure attaque un troupeau
de *Corythosaurus* vers la fin
du Crétacé (– 70 millions d'années).

Premiers dinosaures

Eoraptor et **Herrerasaurus** seraient les tout premiers dinosaures apparus sur Terre.
Ils vécurent au Trias, il y a 228 millions d'années.

EORAPTOR

Famille :	Théropodes
Long. :	1 m
Alim. :	carnivore (insectes)
Période :	Trias supérieur
Distr. :	Amérique du Sud (nord-ouest de l'Argentine)

Eoraptor (« le voleur de l'aube ») fut ainsi nommé car il est apparu au tout début de l'ère des dinosaures. Doté de courtes pattes antérieures, il courait sur ses seules pattes postérieures, plus longues.

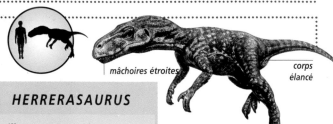

mâchoires étroites

corps élancé

HERRERASAURUS

Famille :	Herrerasauridés
Long. :	3 à 6 m
Alim. :	carnivore (ex. : lézards)
Période :	Trias supérieur
Distr. :	Amérique du Sud (nord-ouest de l'Argentine)

Herrerasaurus doit son nom à Victorino Herrera, son découvreur. Doté de grandes mâchoires, *Herrerasaurus* avalait certaines proies entières. Il se tenait debout sur ses pattes postérieures.

Cératosaures

Les cératosaures étaient des carnivores. Le groupe comprend une vingtaine de dinosaures allant du petit *Coelophysis* jusqu'à l'immense *Dilophosaurus*.

COMPSOGNATHUS

Famille : Compsognathidés

Long. : 60 cm

Alim. : carnivore

Période : Jurassique supérieur

Distr. : Europe (France, Allemagne)

Compsognathus faisait environ la taille d'un poulet actuel. Il furetait probablement dans les broussailles, en quête de petits lézards.

COELOPHYSIS

Famille : Podokésauridés

Long. : 3 m

Alim. : carnivore

Période : Trias supérieur

Distr. : Amérique du Nord (Nouveau-Mexique, Connecticut)

Avec ses longues pattes postérieures et son corps léger, *Coelophysis* avait le profil d'un coureur. Il utilisait sa longue queue comme balancier dans ses déplacements. Il chassait peut-être en meute.

les os de ses jambes étaient creux et donc plus légers

Dilophosaurus («lézard à deux crêtes») fut l'un des premiers gros dinosaures carnivores. Son corps était mince et léger; ses mâchoires, longues et fines, portaient des dents pointues. Sa crête servait peut-être pour donner l'alerte.

DILOPHOSAURUS

Famille :	Cératosauridés
Long. :	6 m
Alim. :	carnivore
Période :	Jurassique inférieur
Distr. :	Amérique du Nord (Arizona, Antarctique)

Ceratosaurus («reptile à corne») était un très gros dinosaure aux crocs énormes. Peut-être exhibait-il la corne située au bout du nez pour éloigner les mâles de son espèce et conquérir une partenaire.

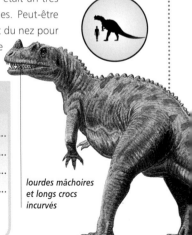

CERATOSAURUS

Famille :	Cératosauridés
Long. :	6 m
Alim. :	carnivore
Période :	Jurassique supérieur
Distr. :	Afrique (Tanzanie); Amérique du Nord (Colorado, Wyoming)

lourdes mâchoires et longs crocs incurvés

Tétanuriens

Les tétanuriens formaient un groupe de gros carnivores féroces qui vécurent au cours du Jurassique et du Crétacé. Ce groupe comprend les allosaures, les spinosaures et les mégalosaures.

Le squelette de *Giganotosaurus* («gigantesque lézard du Sud») fut découvert en Amérique du Sud en 1993. Il pesait autant que *Tyrannosaurus*, soit 8 tonnes environ, mais était plus étroitement apparenté à *Allosaurus*, un dinosaure du Jurassique.

GIGANOTOSAURUS

Famille :	Abélisauridés
Long. :	13 m
Alim. :	carnivore (peut-être des charognes)
Période :	Crétacé supérieur
Distr. :	Amérique du Sud (Palagonie)

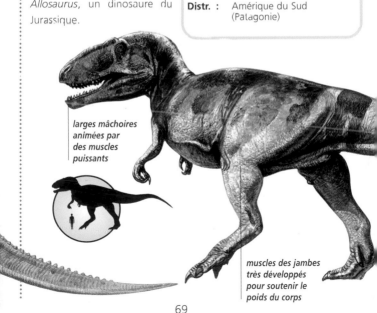

larges mâchoires animées par des muscles puissants

muscles des jambes très développés pour soutenir le poids du corps

petites arêtes longeant le dos,
présentes depuis les yeux
jusqu'au bout
de la queue

mains à
trois
doigts

ALLOSAURUS

Famille :	Allosauridés
Long. :	jusqu'à 12 m
Alim. :	carnivore (dinosaures)
Période :	Jurassique supérieur
Distr. :	Afrique (Tanzanie); Amérique du Nord (Colorado, Utah, Wyoming); Australie

De tous les grands carnivores qui peuplaient l'Amérique du Nord au Jurassique, *Allosaurus* («reptile étranger») était le plus répandu. Sa tête était imposante, son cou épais et robuste. Ses puissantes mâchoires étaient armées de plus de 70 dents.

CRYOLOPHOSAURUS

Famille :	non établie
Long. :	7 à 8 m
Alim. :	carnivore
Période :	Jurassique inférieur
Distr. :	Antarctique

Cryolophosaurus (signifiant «lézard à la crête froide») fut découvert en 1991, dans l'Antarctique. Son crâne était surmonté d'une mince crête osseuse, peut-être recouverte d'une peau de couleur vive.

70

Megalosaurus (« grand reptile ») fut, en 1824, le premier dinosaure à se voir attribuer un nom. Les tranchants irréguliers de ses dents incurvées en faisaient des armes redoutables.

Les orteils se terminaient par de longues griffes.

MEGALOSAURUS

Famille :	Mégalosauridés
Long. :	9 m
Alim. :	carnivore
Période :	Jurassique
Distr. :	Europe (Angleterre, France) ; Afrique (Maroc)

Découvert en Chine en 1978, *Yangchuanosaurus* possédait comme tous les autres allosaures une grosse tête, des mâchoires imposantes et des crocs tranchants. Ses doigts et orteils portaient des griffes acérées et sa queue, maintenue en l'air, assurait son équilibre dans ses déplacements.

YANGCHUANOSAURUS

Famille :	Allosauridés
Long. :	jusqu'à 10 m
Alim. :	carnivore
Période :	Jurassique supérieur
Distr. :	Asie (Chine)

pattes épaisses formant de vrais piliers

*le crâne mesurait
1,60 m de long*

CARCHARODONTOSAURUS

Famille :	non établie
Long. :	8 m
Alim. :	viande, peut-être des charognes
Période :	Crétacé inférieur
Distr. :	Afrique (Égypte, Maroc, Tunisie)

Le nom de *Carcharodontosaurus* est issu de *Carcharodon*, nom du requin blanc. Les rares fossiles trouvés indiquent que la bête était énorme. Ses dents faisaient 12 cm de long. Il se nourrissait sans doute des gros dinosaures herbivores.

SPINOSAURUS

Famille :	Spinosauridés
Long. :	12 m
Alim. :	carnivore
Période :	Crétacé supérieur
Distr. :	Afrique (Égypte, Niger, Tunisie)

Le nom de *Spinosaurus* (« reptile couvert d'épines ») vient de la rangée d'épines de 2 m de haut qui hérissaient son dos. Elles soutenaient une grande voile de peau qui servait peut-être à la régulation de sa température corporelle.

Cousins des oiseaux

**Les maniraptors formaient un groupe comprenant
les oiseaux ainsi que diverses familles de
dinosaures apparentés aux oiseaux, tels que les
redoutables droméosaures aux griffes recourbées.**

Deinonychus (« terrible griffe ») atteignait une longueur d'environ 4 m
et dépassait par sa taille ses parents proches *Dromaeosaurus* et *Velociraptor*. Il doit son nom à la griffe recourbée en forme de faux qu'il portait au deuxième doigt de chacune de ses pattes. Il rentrait ces griffes
pour courir et les sortait pour attaquer.

*longues mâchoires
plantées de dents
tranchantes et
irrégulières permettant
de déchirer la chair*

DEINONYCHUS

Famille :	Droméosauridés
Long. :	3 à 4 m
Alim. :	carnivore (gros dinosaures)
Période :	Crétacé inférieur
Distr. :	Amérique du Nord (Montana)

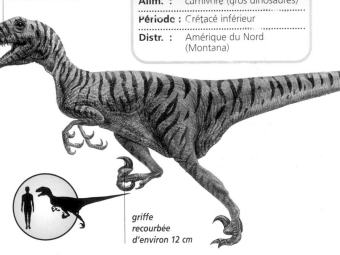

*griffe
recourbée
d'environ 12 cm*

DROMAEOSAURUS

Famille : Droméosauridés

Long. : 1,80 m

Alim. : carnivore

Période : Crétacé supérieur

Distr. : Amérique du Nord (Alberta)

longues pattes avant pour saisir ses proies

Dromaeosaurus, se déplaçait très vite ; il était doté de griffes acérées. Il se nourrissait probablement de tortues, de lézards et de bébés dinosaures. Plus petit que *Deinonychus*, il avait environ la taille d'un enfant de dix ans.

VELOCIRAPTOR

Famille : Droméosauridés

Long. : 1,80 m

Alim. : carnivore

Période : Crétacé supérieur

Distr. : Asie (Chine, Mongolie)

Velociraptor (« voleur rapide ») mettait à profit sa vitesse pour traquer ses proies. Il avait un museau plat et de longs membres antérieurs. En 1971, des paléontologues retrouvèrent un squelette de *Velociraptor* dont une serre était enfoncée dans le ventre d'un petit dinosaure. Les deux animaux avaient dû mourir durant l'affrontement.

Stenonychosaurus se caractérisait par un corps élancé favorisant la course. Ses gros yeux (5 cm de diamètre) laissent supposer qu'il chassait de nuit.

STENONYCHOSAURUS

Famille :	Troodontidés
Long. :	2 m
Alim. :	carnivore
Période :	Crétacé supérieur
Distr. :	Amérique du Nord (Alberta)

Le plus vieil oiseau connu, *Archaeopteryx*, commença à évoluer il y a 150 millions d'années. Son sternum étant trop petit pour supporter le travail des muscles en vol, il lui était impossible de battre des ailes. Il grimpait sans doute aux arbres en s'aidant des petites griffes à l'extrémité des ailes pour se lancer dans les airs et planer sur de courtes distances.

ARCHAEOPTERYX

Famille :	Archéoptérygidés, Aviens
Long. :	35 cm
Alim. :	insectes, fruits
Période :	Jurassique supérieur
Distr. :	Europe (Allemagne)

Dinosaures autruches

Avec leur long cou, leur petite tête et leurs pattes élancées, les ornithomimidés («ressemblant aux oiseau») font songer à des autruches sans plumes.

ORNITHOMIMUS

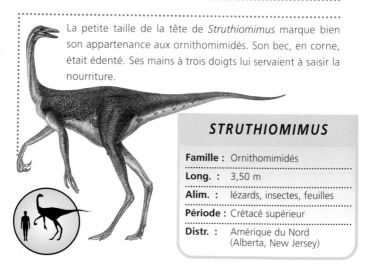

Famille :	Ornithomimidés
Long. :	3,50 m
Alim. :	lézards, insectes, feuilles
Période :	Crétacé supérieur
Distr. :	Asie (Tibet) ; Amérique du Nord (Colorado, Montana)

La queue d'*Ornithomimus*, comme chez tous les ornithomimidés, représentait environ la moitié de la longueur de son corps. Elle lui servait de balancier lorsqu'il courait.

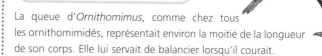

La petite taille de la tête de *Struthiomimus* marque bien son appartenance aux ornithomimidés. Son bec, en corne, était édenté. Ses mains à trois doigts lui servaient à saisir la nourriture.

STRUTHIOMIMUS

Famille :	Ornithomimidés
Long. :	3,50 m
Alim. :	lézards, insectes, feuilles
Période :	Crétacé supérieur
Distr. :	Amérique du Nord (Alberta, New Jersey)

long museau se terminant par un bec large et plat

Gallimimus (« semblable à une poule ») était le plus gros des ornithomimidés. Contrairement aux autres ornithomimidés, ses mains ne lui servaient pas à saisir, mais à gratter la terre, où il trouvait de quoi se nourrir.

GALLIMIMUS

Famille :	Ornithomimidés
Long. :	4 m
Alim. :	lézards, insectes, feuilles, peut-être œufs
Période :	Crétacé supérieur
Distr. :	Asie (Mongolie)

Grâce à la taille de ses pattes postérieures, *Dromiceiomimus* était capable de courir très rapidement pour échapper à l'ennemi. Ses yeux, particulièrement volumineux, lui permettaient de chasser petits mammifères et lézards la nuit.

DROMICEIOMIMUS

Famille :	Ornithomimidés
Long. :	3,50 m
Alim. :	petits mammifères, lézards, insectes, feuilles
Période :	Crétacé supérieur
Distr. :	Amérique du Nord (Alberta)

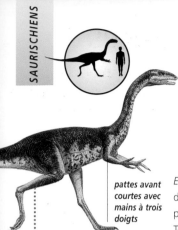

ELAPHROSAURUS

Famille :	Ornithomimidés
Long. :	3,50 m
Alim. :	carnivore
Période :	Jurassique supérieur
Distr. :	Afrique (Tanzanie)

pattes avant courtes avec mains à trois doigts

Elaphrosaurus (« reptile léger ») serait l'un des premiers « dinosaures autruches ». Le premier squelette fossilisé fut découvert à Tendaguru, en Tanzanie.

OVIRAPTOR

Famille :	Oviraptoridés
Long. :	1,80 m
Alim. :	carnivore
Période :	Crétacé supérieur
Distr. :	Asie (Mongolie)

Oviraptor signifie « voleur d'œufs », car les premiers fossiles d'*Oviraptor* furent trouvés dans un nid rempli d'œufs que les scientifiques attribuèrent à un autre dinosaure. Aujourd'hui, ils sont convaincus que les œufs étaient ceux d'*Oviraptor* et que ce spécimen mourut sans doute en tentant de les défendre.

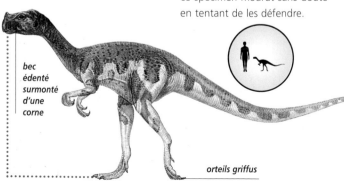

bec édenté surmonté d'une corne

orteils griffus

Tyrannosaures

Les tyrannosaures étaient de grands carnivores qui vécurent en Asie et en Amérique du Nord au Crétacé supérieur. Ils avaient une tête et des mâchoires énormes et des pattes avant courtes et robustes.

mâchoires puissantes portant des rangées de dents longues et pointues

TYRANNOSAURUS

Famille :	Tyrannosauridés
Long. :	jusqu'à 15 m
Alim. :	carnivore
Période :	Crétacé supérieur
Distr. :	Asie (Mongolie); Amérique du Nord (Alberta, Montana, Saskatchewan, Texas, Wyoming)

Tyrannosaurus est souvent désigné par son nom complet, *Tyrannosaurus rex*, qui signifie «roi des reptiles tyranniques». Ses bras, courts et robustes, ainsi que son énorme tête, font de lui le plus reconnaissable des gros dinosaures carnivores. Ses bras trop courts ne lui étaient d'aucune aide pour se nourrir. Il s'en servait sans doute pour se relever du sol, après avoir dormi.

lourde queue utilisée comme balancier

Albertosaurus, ou « lézard d'Alberta », fut ainsi nommé car le premier squelette de son espèce fut trouvé à Alberta, au Canada. Tout comme les autres tyrannosaures, il utilisait probablement ses bras courts et puissants pour se redresser après avoir mangé ou dormi.

ALBERTOSAURUS

Famille :	Tyrannosauridés
Long. :	8 m
Alim. :	carnivore (dinosaures)
Période :	Crétacé supérieur
Distr. :	Amérique du Nord (Alberta, Montana)

Tarbosaurus (« reptile de Bataar »), parent asiatique de *Tyrannosaurus*, se nourrissait peut-être des hadrosaures qui vivaient dans la région.

TARBOSAURUS

Famille :	Tyrannosauridés
Long. :	14 m
Alim. :	carnivore (dinosaures)
Période :	Crétacé supérieur
Distr. :	Asie (Bataar en Mongolie)

Le crâne d'*Alioramus* était plus étroit que chez les autres tyrannosaures. Son museau était tapissé de petits bosses osseuses qu'il utilisait peut-être lors des parades amoureuses.

excroissances osseuses ou épines

ALIORAMUS

Famille :	Tyrannosauridés
Long. :	6 m
Alim. :	carnivore (dinosaures)
Période :	Crétacé supérieur
Distr. :	Asie (Mongolie)

Siamotyrannus fut découvert en Thaïlande, en 1996. Son nom signifie « tyran du Siam » (Siam étant l'ancien nom de la Thaïlande). Il attaquait probablement les gros dinosaures herbivores.

SIAMOTYRANNUS

Famille :	Tyrannosauridés
Long. :	5 à 7 m
Alim. :	carnivore (dinosaures)
Période :	Crétacé supérieur
Distr. :	Asie (Thaïlande)

Ségnosaures

Les ségnosaures, ou thérizinosaures, étaient des carnivores au long cou. Leur pattes antérieures se terminaient par des griffes en forme de faucille.

THERIZINOSAURUS

Famille :	Thérizinosauridés
Long. :	4 à 5 m
Alim. :	carnivore (peut-être aussi des feuilles)
Période :	Crétacé supérieur
Distr. :	Asie : Chine, Mongolie

Therizinosaurus (« reptile-faux ») fut ainsi nommé à cause de ses griffes incurvées de 70 cm de long ressemblant, tant par leur taille que par leur forme, aux faux utilisées pour couper l'herbe.

Tout comme *Therizinosaurus*, *Alxasaurus* possédait une petite tête et un bec édenté avec lequel il déchiquetait chair ou feuilles.

ALXASAURUS

Famille :	Thérizinosauridés
Long. :	4 m
Alim. :	carnivore (peut-être aussi des feuilles)
Période :	Crétacé supérieur
Distr. :	Asie (Chine, Mongolie)

Prosauropodes

Les prosauropodes, reconnaissables à leur long cou, forment un groupe qui évolua pendant la période du Trias supérieur mais disparut vers la fin du Jurassique inférieur.

MASSOSPONDYLUS

Famille : Platéosauridés

Long. : 4 m

Alim. : herbivore

Période : Trias supérieur

Distr. : Amérique du Nord (Arizona) ; Afrique (Afrique du Sud, Zimbabwe)

Massospondylus («colonne vertébrale gigantesque») fut ainsi nommé par Richard Owen en 1854. Massif et lourd, il se redressait sur ses membres postérieurs et étirait son long cou pour atteindre les feuilles et les pousses tendres à la cime des arbres. *Massospondylus* avalait des pierres lisses pour broyer les plantes coriaces.

grandes mains aux griffes recourbées pour tirer sur les branches

83

jeune
Mussaurus

MUSSAURUS

Famille :	Platéosauridés
Long. :	3 m
Alim. :	herbivore
Période :	du Trias supérieur au Jurassique inférieur
Distr. :	Amérique du Sud (Argentine)

Mussaurus (« reptile-souris ») fut ainsi nommé après la découverte en 1979 de cinq petits squelettes dans un nid. Le plus gros avait la taille d'un chaton, mais il s'agissait sans doute d'animaux très jeunes.

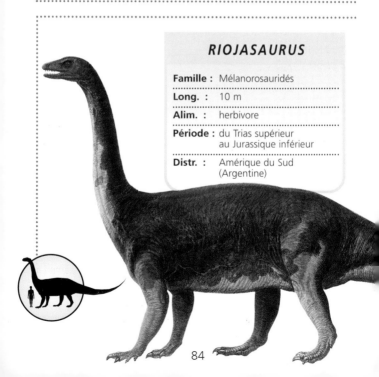

RIOJASAURUS

Famille :	Mélanorosauridés
Long. :	10 m
Alim. :	herbivore
Période :	du Trias supérieur au Jurassique inférieur
Distr. :	Amérique du Sud (Argentine)

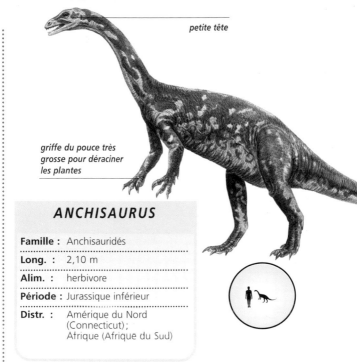

petite tête

griffe du pouce très
grosse pour déraciner
les plantes

ANCHISAURUS

Famille :	Anchisauridés
Long. :	2,10 m
Alim.	herbivore
Période :	Jurassique inférieur
Distr. :	Amérique du Nord (Connecticut) ; Afrique (Afrique du Sud)

Anchisaurus était un prosauropode de faible corpulence, présentant une petite tête et un corps mince. Ses pattes antérieures étaient plus courtes que les postérieures, et il était probablement capable de se déplacer aussi bien sur quatre pattes que sur ses pattes postérieures.

queue tendue pour
équilibrer le poids
du corps

Plus lourd qu'*Anchisaurus*, *Riojasaurus* était vraisemblablement condamné à se tenir sur ses quatre pattes. Incapable de se dresser sur ses pattes postérieures pour atteindre le haut des arbres, il se nourrissait certainement de plantes plus basses.

Sauropodes

Les sauropodes, herbivores au long cou qui évoluèrent au cours du Jurassique, sont les plus gros animaux terrestres que notre planète ait jamais connus.

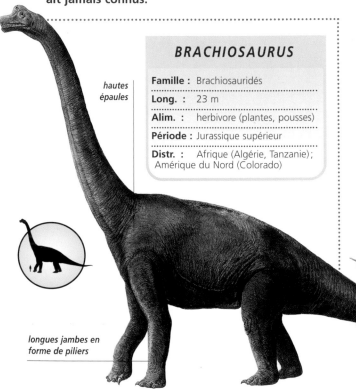

hautes épaules

BRACHIOSAURUS

Famille :	Brachiosauridés
Long. :	23 m
Alim. :	herbivore (plantes, pousses)
Période :	Jurassique supérieur
Distr. :	Afrique (Algérie, Tanzanie); Amérique du Nord (Colorado)

longues jambes en forme de piliers

Brachiosaurus fut nommé « reptile à bras » à cause de ses longues pattes antérieures. Cette haute stature associée à la taille de son cou lui permettait d'atteindre les feuilles tendres à la cime des arbres.

Cetiosaurus («reptile baleine»), un des premiers sauropodes, fut ainsi baptisé en 1841 après la découverte de quelques dents et os fossilisés. Contrairement aux vertèbres des sauropodes supérieurs, les siennes étaient pleines.

CETIOSAURUS

Famille :	Cétiosauridés
Long. :	18,30 m
Alim. :	herbivore
Période :	Jurassique moyen et sup.
Distr. :	Europe (Angleterre); Afrique (Maroc)

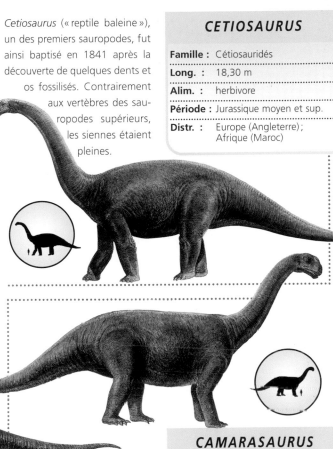

Camarasaurus signifie «lézard à chambre» à cause des cavités contenues dans sa colonne vertébrale. Son cou était plus court que celui de *Diplodocus* ou de *Brachiosaurus* et sa tête avait la forme d'un cube.

CAMARASAURUS

Famille :	Camarasauridés
Long. :	18,30 m
Alim. :	herbivore
Période :	Jurassique supérieur
Distr. :	Amérique du Nord (Colorado, Utah, Wyoming)

SALTASAURUS

Famille :	Titanosauridés
Long. :	12 m
Alim. :	herbivore (pousses et feuilles supérieures)
Période :	Crétacé supérieur
Distr. :	Amérique du Sud (Argentine)

Saltasaurus (« lézard de Salta », ville d'Argentine) appartenait à une famille de dinosaures « cuirassés », les titanosaures. Sa cuirasse servait peut-être à soutenir sa colonne vertébrale trop peu résistante, ou encore à le protéger.

petites plaques osseuses et épines recouvrant le dos

Dicraeosaurus (« lézard à double fourche ») avait des vertèbres terminées par des épines en fourche qui donnait plus de rigidité à la colonne vertébrale. Tous les diplodocidés en étaient sans doute pourvus, mais on possède peu de preuves car les épines se fossilisent rarement.

DICRAEOSAURUS

Famille :	Diplodocidés
Long. :	12 m
Alim. :	herbivore (pousses sommitales)
Période :	Jurassique supérieur
Distr. :	Afrique (Tanzanie)

Apatosaurus est l'un des dinosaures découverts pendant la « guerre des os » du xixᵉ siècle (voir p. 53). Il doit son nom (« reptile sans tête ») au fait qu'aucune tête des premiers squelettes ne fut découverte. Il porta aussi le nom de *Brontosaurus*.

APATOSAURUS

Famille :	Diplodocidés
Long. :	21 m
Alim. :	herbivore (pousses sommitales)
Période :	Jurassique supérieur
Distr. :	Amérique du Nord (Colorado, Oklahoma, Utah, Wyoming)

Le cou de *Diplodocus*, qui atteignait 7 mètres, se terminait par une tête minuscule. Lors d'une agression, cet énorme herbivore fouettait l'assaillant de sa queue avec suffisamment de force pour l'assommer ou même le tuer. Comme les autres sauropodes, il vivait probablement en troupeau.

DIPLODOCUS

Famille :	Diplodocidés
Long. :	26 m
Alim. :	herbivore (pousses sommitales)
Période :	Jurassique supérieur
Distr. :	Amérique du Nord (Colorado, Montana, Utah, Wyoming)

cou aussi long que le corps

89

MAMENCHISAURUS

Famille :	Diplodocidés
Long. :	22 m
Alim. :	herbivore (pousses sommitales)
Période :	Jurassique supérieur
Distr. :	Amérique du Nord (Utah, Colorado, Montana, Wyoming)

Mamenchisaurus possédait le cou le plus long de tous les diplodocidés. Chacune de ses vertèbres portait de minces renforts osseux qui venaient recouvrir la vertèbre suivante, offrant un meilleur soutien à ce cou très lourd.

Seismosaurus (« dinosaure qui fait trembler le sol ») est peut-être le plus grand animal terrestre qui ait jamais existé. Ses ossements furent découverts au Nouveau-Mexique en 1986. Certains sont énormes : la longueur d'une seule vertèbre atteignait jusqu'à 1,50 m. *Seismosaurus* pesait probablement environ 100 tonnes.

SEISMOSAURUS

Famille :	Diplodocidés
Long. :	38 m
Alim. :	herbivore (pousses sommit.)
Période :	Jurassique supérieur
Distr. :	Amérique du Nord (Nouveau-Mexique)

Stégosaures

Les stégosaures étaient de gros herbivores qui arboraient des plaques triangulaires sur le dos et parfois des pointes sur la queue et les flancs.

Scutellosaurus (« lézard muni de petits boucliers ») était un ancêtre des stégosaures et des ankylosaures. Il avait le dos et les flancs couverts de boutons osseux.

SCUTELLOSAURUS

Famille :	Scélidosauridés
Long. :	1,20 m
Alim. :	herbivore
Période :	Jurassique inférieur
Distr. :	Amérique du Nord (Arizona)

KENTROSAURUS

Famille :	Stégosauridés
Long. :	5 m
Alim. :	herbivore (cycadées coriaces)
Période :	Jurassique inférieur
Distr. :	Afrique (Tanzanie)

Kentrosaurus (« reptile à pointes ») portait une double rangée de pointes sur le dos et la queue ainsi que quelques épines isolées pour une meilleure protection des flancs. Il balançait sa queue comme une massue contre les prédateurs.

91

**longues pointes
sur la queue**

**denture peu
puissante**

Tuojiangosaurus fut le premier stégosaure découvert en Chine. Sa tête était petite et étroite, son corps massif. Pourvu de petites dents et de mâchoires peu puissantes, il se nourrissait sans doute de jeunes pousses tendres et d'autres plantes faciles à mâcher.

TUOJIANGOSAURUS

Famille :	Stégosauridés
Long. :	7 m
Alim. :	herbivore (jeunes pousses)
Période :	Jurassique supérieur
Distr. :	Asie (Chine)

Les plaques de *Stegosaurus* servaient peut-être à la régulation de la température du corps. Dans ce cas, elles devaient être recouvertes d'une peau richement irriguée. Si elles servaient de cuirasse, elles étaient probablement recouvertes de corne.

STEGOSAURUS

Famille :	Stégosauridés
Long. :	9 m
Alim. :	herbivore
Période :	Jurassique supérieur
Distr. :	Amérique du Nord (Colorado, Oklahoma, Utah, Wyoming)

**petite
tête**

bec corné

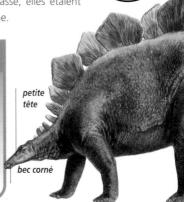

Dinosaures cuirassés

Ces dinosaures se divisent en deux groupes : les nodosaures, couverts d'excroissances et de pointes, et les ankylosaures, dotés en plus d'une queue utilisée comme une massue.

tête carrée

pointes latérales

plaques peut-être recouvertes de corne ou de peau

SAUROPELTA

Famille :	Nodosauridés
Long. :	7,60 m
Alim. :	herbivore
Période :	Crétacé inférieur
Distr. :	Amérique du Nord (Montana)

Sauropelta (« lézard bouclier ») était incapable de courir vite. En cas d'agression, il se tapissait contre le sol pour protéger son ventre mou et formait ainsi une boule de plaques osseuses hérissée de pointes susceptibles de décourager son agresseur

NODOSAURUS

Famille :	Nodosauridés
Long. :	6 m
Alim. :	herbivore
Période :	Crétacé supérieur
Distr. :	Amérique du Nord (Kansas, Wyoming)

Nodosaurus (« reptile à nodules ») arborait des rangées de bosses et de nodules osseux sur le dos, le bassin et la queue. Il avait une tête étroite et un corps massif.

longues épines

PANOPLOSAURUS

Famille :	Nodosauridés
Long. :	4,50 m
Alim. :	herbivore
Période :	Crétacé supérieur
Distr. :	Amérique du Nord (Alberta, Montana, Dakota du Sud, Texas)

Des plaques osseuses recouvraient les épaules et le cou de *Panoplosaurus* et des pointes jaillissaient de ses flancs. Sa tête était grosse et ses dents aux arêtes irrégulières pouvaient broyer tout type de végétaux.

Ankylosaurus était le plus gros des ankylosaures. Son nom signifie « lézard raide » parce que les os de sa queue, soudés, la privaient de souplesse. Sa queue se terminait par une protubérance osseuse.

ANKYLOSAURUS

Famille :	Ankylosauridés
Long. :	11 m
Alim. :	herbivore
Période :	Crétacé supérieur
Distr. :	Amérique du Nord (Alberta, Montana)

d'un coup de queue, il pouvait renverser un agresseur

SAICHANIA

Famille :	Ankylosauridés
Long. :	7 m
Alim. :	herbivore (végétation semi-désertique, en particulier)
Période :	Crétacé supérieur
Distr. :	Asie (Mongolie)

La tête de *Saichania* (« beau » en mongol) était armée de nodules osseux. Les canaux à air dans le crâne servait à refroidir et humidifier l'air avant qu'il atteigne les poumons, un système qui empêchait la température corporelle du dinosaure de trop s'élever.

pointes et plaques osseuses

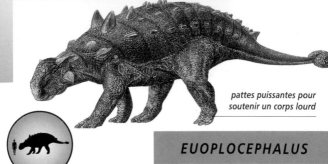

*pattes puissantes pour
soutenir un corps lourd*

Euoplocephalus (« tête bien
protégée ») possédait une cuirasse osseuse se fossilisant facilement : de nombreux ossements d'*Euoplocephalus* ont
été découverts au Canada.

EUOPLOCEPHALUS

Famille : Ankylosauridés

Long. : 5,50 m

Alim. : herbivore

Période : Crétacé supérieur

Distr. : Amérique du Nord (Alberta)

TALARURUS

Famille : Ankylosauridés

Long. : 5 m

Alim. : herbivore (végétation semi-
désertique, en particulier)

Période : Crétacé supérieur

Distr. : Asie (Mongolie)

Comme les autres dinosaures
cuirassés, *Talarurus* arborait
un bec corné qu'il utilisait
pour broyer les végétaux les
plus coriaces. Il avait des abajoues qui lui permettaient de
stocker ses aliments tout en
broutant.

Dinosaures à cornes

Les dinosaures à cornes, ou cératopsiens, formaient un groupe d'herbivores qui évolua au cours du Crétacé supérieur.

PSITTACOSAURUS

Famille :	Psittacosauridés
Long. :	2,80 m
Alim. :	herbivore (frugivore ?)
Période :	Crétacé supérieur
Distr. :	Asie (Chine, Mongolie, Sibérie)

crête soutenant de puissants muscles maxillaires

bec corné

Psittacosaurus, ou « lézard perroquet », était muni d'un bec évoquant celui d'un perroquet et d'une crête à l'arrière du crâne.

LEPTOCERATOPS

Famille :	Protocératopsidés
Long. :	2 m
Alim. :	herbivore
Période :	Crétacé supérieur
Distr. :	Asie (Mongolie); Amérique du Nord (Alberta, Wyoming)

collerette osseuse

Leptoceratops portait sur la nuque un semblant de collerette osseuse. Chez les cératopsiens supérieurs, cette collerette finit par atteindre des proportions considérables.

cinq doigts griffus

97

CENTROSAURUS

Famille :	Cératopsidés
Long. :	6 m
Alim. :	herbivore
Période :	Crétacé supérieur
Distr. :	Amérique du Nord (Alberta, Montana)

Centrosaurus («lézard à la corne pointue») portait une seule corne sur le nez, deux petites cornes sous les yeux et une collerette aux bords dentelés. Comme pour tout cératopsien, elles lui permettaient de se protéger des carnivores.

le poids de son corps imposait des jambes particulièrement solides

PACHYRHINOSAURUS

Famille :	Cératopsidés
Long. :	5,50 m
Alim. :	herbivore
Période :	Crétacé supérieur
Distr. :	Amérique du Nord (Alberta)

Au lieu d'une corne, le nez de *Pachyrhinosaurus* («reptile au nez épais») portait une bosse osseuse tandis que son cou était protégé par une petite collerette. Son corps gigantesque et massif pesait entre 3 et 4 tonnes.

Styracosaurus fut nommé « pointe de lance » en raison de la longue corne qu'il portait sur le nez. Sa collerette aussi était hérissée de cornes.

cornes destinée à effrayer ou combattre les prédateurs

STYRACOSAURUS

Famille :	Cératopsidés
Long. :	5 m
Alim. :	herbivore
Période :	Crétacé supérieur
Distr. :	Amérique du Nord (Alberta, Montana)

lourde queue servant de contrepoids lors des déplacements

TRICERATOPS

Famille :	Cératopsidés
Long. :	9 m
Alim. :	herbivore
Période :	Crétacé supérieur
Distr. :	Amérique du Nord (Alberta, Colorado, Montana, Saskatchewan, Dakota du Sud, Wyoming)

Triceratops (« face aux trois cornes ») est le plus connu des cératopsiens et vivait lui aussi en troupeau. Le nombre ainsi que l'agencement des cornes permettaient aux membres de chaque espèce de se reconnaître entre eux.

Pachycéphalosaures et autres herbivores

Oachycéphalosaures, fabrosaures et pisanosaures étaient des herbivores. Ils se déplaçaient sur leurs membres postérieurs et vivaient en troupeaux.

PISANOSAURUS

Famille : Pisanosauridés

Long. : 90 cm

Alim. : herbivore

Période : Trias supérieur

Distr. : Amérique du Sud (Argentine)

Pisanosaurus est apparu au début de l'ère des ornithopodes. De petite corpulence, il ressemblait à un gros lézard qui se serait déplacé dressé sur ses membres postérieurs.

Lesothosaurus vivait dans ce qui constitue aujourd'hui les actuelles plaines chaudes et arides du Lesotho, en Afrique australe. Les pointes de ses dents, acérées comme des flèches, lui servaient à mâcher les plantes dures.

LESOTHOSAURUS

Famille : Fabrosauridés

Long. : 90 cm

Alim. : herbivore

Période : Jurassique inférieur

Distr. : Afrique australe (Lesotho)

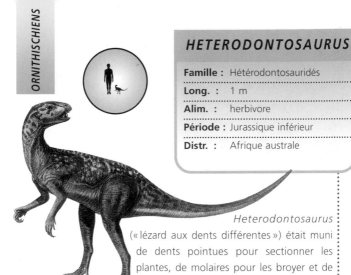

HETERODONTOSAURUS

Famille :	Hétérodontosauridés
Long. :	1 m
Alim. :	herbivore
Période :	Jurassique inférieur
Distr. :	Afrique australe

Heterodontosaurus («lézard aux dents différentes») était muni de dents pointues pour sectionner les plantes, de molaires pour les broyer et de deux paires de canines pour les arracher.

Stegoceras (signifiant «toit en corne») portait un épais dôme osseux sur le sommet du crâne. Cette bosse, probablement plus conséquente chez les mâles que chez les femelles, s'épaississait avec l'âge.

STEGOCERAS

Famille :	Pachycéphalosauridés
Long. :	2 m
Alim. :	herbivore
Période :	Crétacé supérieur
Distr. :	Amérique du Nord (Alberta)

*mains à cinq
doigts pour saisir
feuilles et autres
végétaux*

PRENOCEPHALE

Famille : Pachycéphalosauridés

Long. : 2,50 m

Alim. : herbivore
(peut-être frugivore)

Période : Crétacé supérieur

Distr. : Asie (Mongolie)

Comme les autres pachycéphalosaures, *Prenocephale* se déplaçait sur ses membres postérieurs en se servait de sa queue pour maintenir l'équilibre. Sa queue servait également à contrebalancer le poids d'une tête surmontée d'une couronne de pics osseux.

HOMALOCEPHALE

Famille : Homalocéphalidés

Long. : 3 m

Alim. : herbivore

Période : Crétacé supérieur

Distr. : Asie (Mongolie)

Homalocephale appartenait à la famille des homalocéphalidés, à la différence desquels son crâne n'était pas protégé par un imposant dôme crânien mais plutôt par une calotte épaisse recouverte de petites protubérances osseuses.

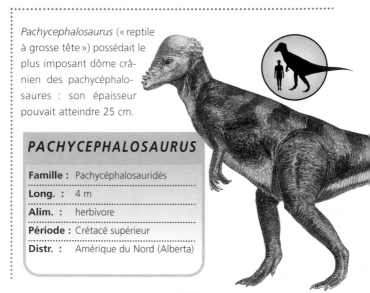

Pachycephalosaurus (« reptile à grosse tête ») possédait le plus imposant dôme crânien des pachycéphalosaures : son épaisseur pouvait atteindre 25 cm.

PACHYCEPHALOSAURUS

Famille :	Pachycéphalosauridés
Long. :	4 m
Alim. :	herbivore
Période :	Crétacé supérieur
Distr. :	Amérique du Nord (Alberta)

Malgré son apparence redoutable, *Stygimoloch* était un herbivore des plus pacifiques. Ses cornes l'aidaient à faire fuir les carnivores.

STYGIMOLOCH

Famille :	Pachycéphalosauridés
Long. :	2,50 m
Alim. :	herbivore
Période :	Crétacé supérieur
Distr. :	Amérique du Nord (Montana, Wyoming)

Hypsilophodontes

Les hypsilophodontes étaient des herbivores au corps gracile. Ils vivaient en troupeaux et se fiaient à leur vélocité pour échapper au danger.

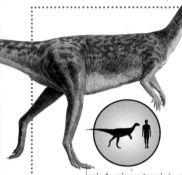

DRYOSAURUS

Famille :	Hypsilophodontidés
Long. :	3 m
Alim. :	herbivore
Période :	du Jurassique supérieur jusqu'au Crétacé inférieur
Distr. :	Afrique ; Amérique du Nord-Ouest

pieds minces terminés par trois orteils

Dryosaurus (« lézard chêne ») avait des dents en forme de feuilles de chêne. C'est l'un des premiers et des plus grands hypsilophodontes.

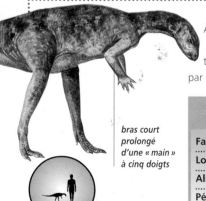

À l'origine, *Othnielia* avait pour nom *Nanosaurus*. Il fut rebaptisé pour saluer le travail mené par Othniel Charles Marsh.

bras court prolongé d'une « main » à cinq doigts

OTHNIELIA

Famille :	Hypsilophodontidés
Long. :	1,40 m
Alim. :	herbivore
Période :	Jurassique supérieur
Distr. :	Amérique du Nord (Utah, Wyoming)

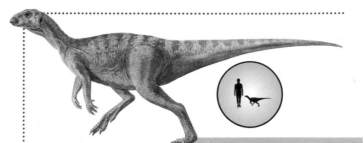

Les mâchoires d'*Hypsilopho-don* (« dent à haute cou-ronne »), édentées sur le devant, portaient à l'arrière des dents pointues à l'aide desquelles l'animal hachait sans doute les plantes qu'il avait préalablement arra-chées avec son bec.

HYPSILOPHODON

Famille :	Hypsilophodontidés
Long. :	1,50 m
Alim. :	herbivore
Période :	Crétacé inférieur
Distr. :	Europe (Angleterre, Portugal)

Thescelosaurus, plus gros que la plupart des hypsilophodonti-dés, était peut-être plus lent dans ses déplacements. Une cui-rasse le protégeait des agressions.

dos parsemé de nodules osseux

THESCELOSAURUS

Famille :	Hypsilophodontidés
Long. :	3,50 m
Alim. :	herbivore
Période :	Crétacé supérieur
Distr. :	Amérique du Nord (Alberta, Montana, Saskatchewan, Wyoming)

Iguanodontes

Les iguanodontes, gros dinosaures herbivores apparentés aux hadrosaures, vécurent au Jurassique.

Comme les autres igua-nodontes, *Iguanodon* («dent d'iguane») pré-sentait à chacun de ses membres antérieurs un ergot sans doute utilisé pour repousser les pré-dateurs.

IGUANODON

Famille :	Iguanodontidés
Long. :	9 m
Alim. :	herbivore
Période :	Crétacé inférieur
Distr. :	Europe (Allemagne, Angleterre, Belgique); Amérique du Nord (Utah); Afrique (Tanzanie); Asie (Mongolie)

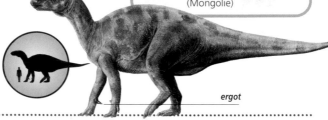

ergot

OURANOSAURUS

Famille :	Iguanodontidés
Long. :	7 m
Alim. :	herbivore
Période :	Crétacé inférieur
Distr. :	Afrique (Niger)

«voile» recouverte de peau

MUTTABURRASAURUS

Famille :	Iguanodontidés
Long. :	7,30 m
Alim. :	herbivore
Période :	Crétacé inférieur
Distr. :	Australie (Queensland)

cette excroissance osseuse jouait peut-être un rôle dans la parade

Muttaburrasaurus, baptisé du nom du lieu où il fut découvert (Queensland), est l'un des rares dinosaures mis au jour en Australie. Il portait une excroissance osseuse en avant des yeux.

Comme d'autres iguanodontes, *Probactrosaurus* était quadrupède mais sans doute capable de se dresser sur ses pattes postérieures afin de se nourrir.

ongles formant des sortes de sabots

Ouranosaurus (« reptile courageux ») portait sur les vertèbres des épines entourée d'une « voile » qui devait favoriser la régulation thermique (par absorption ou dissipation de chaleur).

PROBACTROSAURUS

Famille :	Iguanodontidés
Long. :	6 m
Alim. :	herbivore
Période :	Crétacé inférieur
Distr. :	Asie (Chine)

Hadrosaures

Les hadrosaures étaient pourvus d'un long bec aplati évoquant celui d'un canard. Certaines espèces arboraient aussi des crêtes.

HADROSAURUS

Famille : Hadrosauridés

Long. : 9 m

Alim. : herbivore

Période : Crétacé inférieur

Distr. : Amérique du Nord (Montana, New Jersey, Nouveau-Mexique, Dakota du Sud)

Hadrosaurus (« gros reptile ») fut le premier dinosaure nord-américain à se voir attribuer un nom. Son bec allongé portait des rangées de dents plates qui lui servaient à broyer des végétaux coriaces.

SHANTUNGOSAURUS

Famille : Hadrosauridés

Long. : 13 m

Alim. : herbivore

Période : Crétacé supérieur

Distr. : Asie (Chine)

Un squelette entier de *Maiasaura* (« dinosaure bonne mère ») fut découvert dans le Montana sur un site de nidification. Les nids, larges de 2 mètres, étaient espacés d'environ 9 mètres (soit la taille d'un dinosaure adulte), ainsi les femelles pouvaient se déplacer autour de leur nid sans déranger les autres.

MAIASAURA

Famille :	Hadrosauridés
Long. :	9 m
Alim. :	herbivore
Période :	Crétacé supérieur
Distr. :	Amérique du Nord (Montana)

Maiasaura, *trop lourd pour couver ses œufs, devait toutefois les surveiller attentivement.*

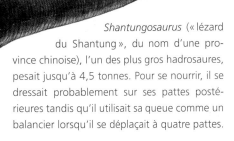

Shantungosaurus (« lézard du Shantung », du nom d'une province chinoise), l'un des plus gros hadrosaures, pesait jusqu'à 4,5 tonnes. Pour se nourrir, il se dressait probablement sur ses pattes postérieures tandis qu'il utilisait sa queue comme un balancier lorsqu'il se déplaçait à quatre pattes.

SAUROLOPHUS

Famille :	Hadrosauridés
Long. :	9 m
Alim. :	herbivore
Période :	Crétacé supérieur
Distr. :	Amérique du Nord (Alberta, Californie); Asie (Mongolie)

La tête inclinée de *Saurolophus* était peut-être surmontée d'un repli de peau au-dessus du nez. En expulsant de l'air à travers ce repli, *Saurolophus* émettait des bruits de trompe pour communiquer avec le reste du troupeau.

LAMBEOSAURUS

Famille :	Hadrosauridés
Long. :	9 m
Alim. :	herbivore
Période :	Crétacé supérieur
Distr. :	Amérique du Nord (Californie, Montana, Saskatchewan)

Lambeosaurus fut nommé ainsi en honneur de Lawrence Lambe, un chercheur de fossiles canadien. Sa tête était surmontée à l'avant d'une crête osseuse en forme de hache et, à l'arrière, d'une petite pointe osseuse.

110

CORYTHOSAURUS

Famille :	Hadrosauridés
Long. :	9 m
Alim. :	herbivore
Période :	Crétacé supérieur
Distr. :	Amérique du Nord (Alberta, Montana)

Corythosaurus (« lézard au casque corinthien ») portait sur la tête une crête arrondie dont la forme rappelle celle des casques portés par les soldats corinthiens de la Grèce antique.

locomotion possible sur deux ou quatre pattes

Parasaurolophus (« lézard à crête ») arborait une crête osseuse creuse de 1,80 m par laquelle il devait émettre des barrissements. Lorsqu'il relevait la tête, l'arrière de la crête se logeait dans une encoche de l'échine.

PARASAUROLOPHUS

Famille :	Hadrosauridés
Long. :	9 m
Alim. :	herbivore
Période :	Crétacé supérieur
Distr. :	Amérique du Nord (Alberta, Nouveau-Mexique, Utah)

Glossaire

amphibiens Animaux vertébrés et quadrupèdes qui pondent leurs œufs dans l'eau. Les jeunes traversent un stade larvaire avant d'atteindre la maturité. Les amphibiens modernes comprennent les grenouilles et les crapauds.

ankylosaures Dinosaures « cuirassés » au corps couvert de plaques osseuses, de nodules et de pointes. Leur queue, terminée par une lourde boule, pouvait être utilisée comme une arme.

bajoues (ou abajoues) Replis de peau de chaque côté de la bouche d'un animal, dans lesquels il peut conserver de la nourriture tout en mâchant.

bec Partie cornée de la bouche des oiseaux et de certains dinosaures. Comme les dents, mais plus légers qu'elles, le bec sert à attraper et déchiqueter la nourriture.

camouflage Motif coloré permettant à un animal de se fondre dans le paysage, de manière à échapper au regard des prédateurs.

carnivores Animaux se nourrissant de viande.

cératopsiens Gros herbivores à la tête armée de longues cornes pointues et protégée par une collerette osseuse poussant depuis l'arrière du crâne.

cératosaures Dinosaures carnivores se déplaçant sur leurs membres postérieurs. Les membres antérieurs étaient de très petite taille. Certains, tel *Ceratosaurus*, étaient armés d'une ou plusieurs cornes. D'autres, tel *Dilophosaurus*, portaient une crête de forme parfois surprenante.

climat Définit le temps qu'il fait en général à un endroit donné. Les déserts présentent par exemple un climat sec, tandis que les forêts tropicales jouissent d'un climat chaud et humide.

continent Importante masse terrestre. Du plus vaste au plus petit, les continents sont : l'Asie, l'Afrique, l'Amérique du Nord et du Sud, l'Antarctique, l'Europe et l'Océanie.

coprolithes Excréments fossilisés.

Crétacé Période géologique s'étendant de − 140 à − 65 millions d'années. C'est au Crétacé supérieur que l'on trouve la plus grande diversité de dinosaures, mais c'est aussi la fin de cette période qui connut leur extinction.

crête Structure osseuse surmontant la tête, utilisée par les mâles pour faire fuir un autre mâle et conquérir une femelle.

cycadées Plantes sans fleurs ni branches, au tronc épais et aux feuilles ressemblant à celles des palmiers. Elles sont apparentées aux conifères.

dôme crânien La tête des mâles de certaines familles de dinosaures était protégée par une très épaisse calotte crânienne qui leur servait sans doute lors des combats les opposant pour la conquête des femelles. Deux groupes de dinosaures étaient ainsi constitués : les homalocéphalidés et les pachycéphalosauridés.

ectothermie Propriété des animaux à sang froid, tels que les lézards ou les serpents, qui ne peuvent régler leur température corporelle et dont l'activité dépend donc de la chaleur du soleil.

endothermie Propriété des animaux à sang chaud tels que les oiseaux ou les mammifères capables de régler leur température corporelle.

espèce Groupe d'animaux se ressemblant et capables de se reproduire entre eux pour donner des jeunes eux-mêmes fertiles.

évolution Phénomène se produisant sur de nombreuses générations qui aboutit à la transformation morphologique d'une espèce ou à la naissance d'une nouvelle espèce.

extinction Disparition de tous les représentants d'une espèce. Tous les dinosaures, ainsi que d'autres espèces animales, ont ainsi disparu voici 65 millions d'années, à la fin du Crétacé.

extinction de masse Disparition soudaine de nombreuses espèces animales non apparentées.

famille Groupe d'espèces animales apparentées. *Albertosaurus, Tyrannosaurus* et *Alioramus* font ainsi tous partie de la famille des Tyrannosauridés.

fossiles Restes d'un animal ou d'une plante conservés dans la roche.

fougères Plantes sans fleurs aux feuilles finement découpées appelées « frondes ».

gastrolithes Pierres trouvées dans les estomacs de certains dinosaures, qui les avaient avalées pour faciliter le broyage et la digestion d'aliments végétaux particulièrement résistants.

ginkgo Arbre ressemblant à un conifère mais perdant ses feuilles à l'automne. La seule espèce de ginkgo vivant encore aujourd'hui est le *Ginkgo biloba*.

habitat Environnement dans lequel vit un animal (comprend le climat, l'humidité et la végétation).

hadrosaures Gros dinosaures herbivores portant un long bec plat et corné, parfois appelés

« dinosaures à bec de canard ». De nombreux hadrosaures portaient une crête sur la tête. Parmi les hadrosaures, on compte notamment *Parasaurolophus* et *Lambeosaurus*.

hypsilophodontes Petits dinosaures herbivores de faible corpulence qui se déplaçaient sur leurs membres postérieurs, longs et minces.

ichthyosaures Reptiles marins allongés, excellents nageurs, d'apparence semblable à celle des dauphins.

iguanodontidés Herbivores de taille moyenne à grande ; leurs pattes arrière étaient terminées par des ongles fourchus semblables à des sabots tandis que leurs pattes avant étaient prolongées de griffes ayant pu les aider à se défendre contre les prédateurs. Le cinquième doigt de chaque patte antérieure était préhensile, c'est-à-dire que, comme un pouce, il pouvait se replier en travers de la paume pour leur permettre de tenir les aliments.

Jurassique C'est pendant cette période géologique s'étendant de −205 à −140 millions d'années que les dinosaures se répandirent de par le monde.

mammifères Animaux vertébrés caractérisés par la présence de poils et l'allaitement des jeunes. Les mammifères modernes comprennent des animaux aussi divers que singes, baleines, lapins, chats et êtres humains.

migration Déplacement saisonnier de certains animaux, effectué pour des raisons alimentaires ou climatiques, ou bien encore pour faciliter l'éducation des jeunes.

milliard Mille millions.

minéraux Substances entrant dans la composition des roches. Les minéraux sont faits de mélanges d'éléments tels que carbone, aluminium, hydrogène, oxygène, potassium ou silicium.

nodosaures Dinosaures cuirassés au corps couvert de plaques, excroissances ou pointes osseuses.

ordre Groupe de familles apparentées. Il existe deux ordres de dinosaures : les Saurischiens et les Ornithischiens. Les ordres se subdivisent en sous-ordres, infra-ordres et familles. *Tyrannosaurus* appartient par exemple à la famille des Tyrannosauridés, infra-ordre des Tétanuriens, sous-ordre des Théropodes et ordre des Saurischiens.

ornithischiens Ces dinosaures dont la ceinture pelvienne ressemble à celle des oiseaux comprennent les cératopsiens, les nodosaures, les stégosaures et les herbivores bipèdes.

ornithomimidés Dinosaures carnivores, excellents coureurs. La taille de leur cou et celle de leurs pattes leur conféraient une allure très semblable à celles des autruches modernes.

ornithopodes Ce groupe d'herbivores bipèdes comprend les hadrosaures, les iguanodontidés et les hypsilophodontidés.

ovipare Se dit d'un animal dont la femelle pond des œufs.

paléontologues Scientifiques spécialisés dans l'étude de la paléontologie, c'est-à-dire celle de la vie préhistorique telle qu'on peut la reconstituer à partir de fossiles.

phytosaures Ces reptiles cuirassés, qui furent les principaux prédateurs des cours d'eau du Trias, ressemblaient beaucoup aux crocodiles d'aujourd'hui.

plésiosaures Reptiles marins du Jurassique et du Crétacé aux membres en forme de palette.

reptiles Animaux vertébrés à sang froid, ovipares (voir ce mot). Les reptiles modernes comprennent les lézards, les serpents, les crocodiles et les tortues.

reptiles mammaliens Reptiles primitifs dotés de certaines caractéristiques des mammifères (poils, dents diversifiées) ayant vécu avant les dinosaures. Ils sont apparentés aux ancêtres des mammifères modernes.

saurischiens Ces dinosaures dont la ceinture pelvienne ressemble à celle des lézards comprennent tous les théropodes carnivores ainsi que les herbivores sauropodes (dinosaures à long cou).

sauropodes Herbivores dotés d'un cou immense, tels *Diplodocus* et *Brachiosaurus*.

stégosaures Gros dinosaures herbivores munis de grandes plaques osseuses triangulaires le long de la colonne vertébrale ainsi que de pointes sur la queue.

tétanuriens Gros carnivores tels qu'*Allosaurus* ou *Giganotosaurus*. Les tétanuriens, dont le nom signifie « queue raide », furent ainsi nommés car leurs vertèbres caudales étaient soutenues entre elles par des renforts osseux. Leurs mâchoires comportaient par ailleurs des vides permettant de diminuer le poids de leur crâne.

Théropodes Dinosaures carnivores parmi lesquels on compte *Tyrannosaurus*, *Allosaurus* et *Struthiomimus*.

Trias Période géologique s'étendant de −250 à −205 millions d'années. C'est vers le début du Trias supérieur (−230 millions d'années) qu'apparurent les premiers dinosaures.

Index

Les numéros de pages
en *italique* renvoient aux
légendes des illustrations ;
les entrées principales
sont, elles, indiquées
en **gras**.

Musées internationaux

Voici une brève sélection de certains musées possédant d'intéressantes collections de fossiles. Les pièces exposées sont susceptibles de changer avec l'arrivée de nouveaux éléments, et il arrive que les collections tournent de musée en musée.

AUSTRALIE
Queensland Museum, Brisbane, Queensland
Australian Museum, Sydney, Nouvelle-Galles du Sud

CANADA
Redpath Museum, Toronto, Ontario
Tyrell Museum of Paleontology, Drumheller, Alberta

GRANDE-BRETAGNE
Muséum de Birmingham, Birmingham, Angleterre
Muséum d'histoire naturelle, Londres, Angleterre
Musée géologique de l'île de Wight, Sandown, Angleterre
Royal Scottish Museum, Édimbourg, Écosse

ÉTATS-UNIS D'AMÉRIQUE
Muséum américain d'histoire naturelle, New York
Muséum d'histoire naturelle de Denver, Denver Colorado
Musée géologique de l'université du Wyoming, Laramie, Wyoming

FRANCE
Muséum national d'histoire naturelle, Paris

BELGIQUE
Institut royal des sciences naturelles, Bruxelles

Sites Internet

Les sites Internet se multiplient et se transforment à une vitesse incroyable. Voici tout de même quelques sites pour commencer.

En anglais :
www.tyrell.magtech.ab.ca/
Page d'accueil du Tyrell Museum, comprend des programmes interactifs et ludiques.
www.cyberspacemuseum.com
(cliquer sur « paleontology ») Base de données des musées américains, nombreux liens vers d'autres sites de paléontologie.

En français :
www.mnhn. fr
Site du Muséum national d'histoire naturelle.
www.dinosauria.org
Site de l'association Dinosauria, information sur le musée d'Espéraza, dans l'Aude.
www.quebectel.com/escale/
Site québecois avec des jeux pour les enfants.

....

Crédits iconographiques

g = gauche, d = droite, b = bas, h = haut, c = centre

ILLUSTRATIONS
Tous les dessins sont de **Steve Kirk**, sauf :
James Field (Simon Girling Associates), 25h, 43c ; **Eugene Fleury**, 11h, 13h, 15h ; **Mike Foster/ Maltings Partnership**, 62-63b ; **John Francis (Bernard Thornton Artists)**, 59b, **Terry Gabbey (Associate Freelance Artists)** 54-55c, **Elizabeth Gray**, 28h, 33hd & bd, **Mark Iley**, 22, 41h, **Eric Robson**, 25b ; **Martin Sanders**, 18-19 ; **Peter David Scott**, 16, 17c & b, 23c, 24, 26, 29h, 30-31c, 32, 33b & cd, 43b ; **Guy Smith/Mainline Design**, 8-9, 61h, 48-49c
Couverture : **Steve Kirk, Martin Sanders** (plat 1), **Steve Kirk** (plat 4)

PHOTOGRAPHIES
35 Muséum d'histoire naturelle de Londres, 46h François /Ardea, 46b Muséum d'histoire naturelle de Londres ; 48 Muséum d'histoire naturelle de Londres ; 49h Muséum d'histoire naturelle de Londres ; 49bg François Gohier/Ardea ; 49bd Muséum d'histoire naturelle de Londres ; 50, Danny Lehman/Corbis ; 51, Tom Bean/Corbis ; 52h Muséum d'histoire naturelle de Londres ; 52b Ardea ; 53 hg Peabody Museum, Université de Yale ; 53hd Muséum d'histoire naturelle de Londres ; 53b Service de documentation du Muséum américain d'histoire naturelle, 54 Jonathan Blair/Corbis ; 55 Layne Kennedy/Corbis ; 56 Michael Yamashita/Corbis ; 57 François Gohier/Ardea